Ramona l'intrépide

Beverly Cleary

Ramona l'intrépide

Traduit de l'américain par Isabelle Reinharez
Illustrations d'Alan Tiegreen

Neuf en poche
l'école des loisirs
11, rue de Sèvres, Paris 6e

Beverly Cleary est née dans une petite ville de l'Orégon aux États-Unis. Sa famille déménage à Portland, sur la côte ouest quand Beverly atteint l'âge scolaire. Elle y fait ses études secondaires, puis à Seattle des études de bibliothécaire pour enfants. En 1939 elle obtient son premier poste à Yakima dans l'État de Washington.

En 1940 elle se marie avec Clarence Cleary. Ils auront deux enfants, un garçon et une fille.

Depuis 1950, Beverly Cleary a écrit une vingtaine de livres pour enfants.

© *1988, l'école des loisirs, Paris, pour l'édition en langue française*
© *1975, Beverly Cleary*
Titre original : « Ramona the brave » (William Morrow, New York)
Composition : Sereg, Paris (Bembo 16/20)
Loi nº 49.956 du 16 juillet 1949 sur les publications
destinées à la jeunesse : septembre 1988
Dépôt légal : avril 1994
Imprimé en France par la Société Nouvelle Firmin-Didot
au Mesnil-sur-l'Estrée (26950)

CHAPITRE UN
Drame au parc

Ramona Quimby, l'intrépide, la courageuse, moitié courant moitié sautant, essayait de ne pas se laisser distancer par sa grande sœur Béatrice en rentrant du parc. Elle n'avait jamais vu les joues de sa sœur aussi rouges de colère que par cet après-midi d'août. Ramona était toute collante parce qu'il faisait chaud, et toute sale à force d'atterrir dans la sciure au bas des toboggans, mais elle rayonnait de fierté. Quand Mme Quimby avait envoyé ses filles au parc pour une heure, ayant une course à faire – une course importante, avait-elle laissé entendre – elle avait demandé à Beezus (le surnom de Béatrice) de s'occuper de Ramona.

Et qu'était-il arrivé ? Pour la première fois

en six ans c'est Ramona qui s'était occupée de
Beezus, la responsable en principe. Le *gendarme,* convenait mieux comme mot, pensait
parfois Ramona, mais pas aujourd'hui. Ramona
avait dû défendre sa sœur.

« Beezus », supplia Ramona, hors d'haleine,
« ralentis. »

Beezus, qui serrait son livre de bibliothèque
dans sa main moite, ne lui prêta aucune attention. Le claquement des anneaux, le choc mat
et régulier des balles de tennis contre l'as-

phalte, les cris d'enfants s'affaiblirent au fur et à mesure que les filles approchaient de leur maison de Klickitat Street.

Ramona espérait que sa mère serait rentrée de sa fameuse course. Elle brûlait d'impatience de raconter ce qui s'était passé et comment elle avait défendu sa grande sœur. Sa mère serait si fière, et son père aussi quand il rentrerait du travail et entendrait toute l'histoire. «Bravo, Ramona», s'écrierait-il. «Tu t'es bien conduite!»

Brave petite Ramona.

Par chance, la voiture était dans le garage et Mme Quimby au salon quand les filles firent irruption dans la maison. «Eh bien, Beezus», s'exclama leur mère, quand elle vit les visages empourprés et transpirants de ses filles, l'un furieux, l'autre triomphal.

Beezus cligna des paupières pour retenir ses larmes.

«Ramona, qu'est-il arrivé à Beezus?» Mme Quimby était inquiète.

«Ne m'appelle plus *jamais* Beezus!» Beezus bouillait de colère.

Mme Quimby se tourna vers Ramona pour obtenir une explication; Ramona était impatiente de la lui donner. D'habitude c'était Beezus qui racontait les mésaventures de Ramona, comment elle avait fait tomber son cornet de glace sur le trottoir et pleuré quand Beezus lui avait interdit de le ramasser, ou comment elle avait essayé, malgré le règlement, de descendre d'un toboggan la tête la première et avait atterri le nez dans la sciure. Ramona, enfin, tenait sa revanche. Elle prit sa respiration et se prépara à raconter.

«Alors voilà. Au parc, je me suis amusée un peu sur les toboggans pendant que Beezus était assise sur un banc et lisait son livre de bibliothèque. Et puis j'ai vu une balançoire libre. Une grande balançoire, pas une balançoire de bébé au-dessus de la pataugeoire, et j'ai pensé que, comme j'entre à la grande école le mois prochain, je devrais me balancer sur les grandes balançoires. Tu ne trouves pas, Maman?»

«Oui, bien sûr.» Mme Quimby s'impatientait. «S'il te plaît, continue ton histoire. Qu'est-il arrivé à Beezus?»

«Bon, alors j'ai grimpé sur la balançoire», poursuivit Ramona, «seulement mes pieds ne touchaient pas par terre parce qu'il y avait un grand trou sous la balançoire.»

Ramona se rappelait comme elle avait eu envie de se balancer jusqu'à ce que les chaînes s'amollissent dans ses mains et que ses doigts de pieds atteignent le sommet des sapins. Elle se serait volontiers attardée à ce souvenir, mais elle sentit qu'elle avait intérêt à continuer son histoire en vitesse, sinon sa mère demanderait à Beezus de la finir. Ramona avait horreur de perdre son auditoire.

«J'ai crié: "Beezus, pousse-moi", et des grands garçons, des grands méchants garçons, m'ont entendue et il y en a un qui a dit...»

Ramona, qui rêvait d'être celle qui raconte l'histoire mais redoutait un peu de répéter les mots, hésita.

«Qui a dit quoi?» Mme Quimby était déconcertée. «Dit quoi, Ramona? Beezus, qu'a-t-il dit?»

Beezus se passa le revers du poignet sur les yeux et balbutia: «Il a dit: "J-j-j…"»

L'envie de raconter vainquit les hésitations de Ramona. «Il a dit: "Jésus, Beezus!"» Ramona leva les yeux vers sa mère, s'attendant à la voir choquée. Mais celle-ci parut simplement surprise et – était-ce possible? – amusée.

«Et c'est pour ça que je ne veux plus jamais, *jamais* qu'on m'appelle Beezus!» s'écria Beezus.

«Et tous les autres garçons se sont mis à le dire aussi», reprit Ramona, s'animant à nouveau maintenant qu'elle avait passé le moment difficile. «Oh, Maman, c'était affreux, tu sais. C'était *horrible*. Tous ces affreux grands garçons! Ils n'arrêtaient pas de répéter: "Jésus,

Beezus" et "Beezus, Jésus". J'ai sauté de ma balançoire et je leur ai crié…»

Ici Beezus l'interrompit. Chez elle, la colère, une fois de plus, avait pris le pas sur les larmes. «Et alors il a fallu que Ramona s'en mêle. Et tu sais ce qu'elle a fait? Elle a sauté de sa balançoire et leur a fait un sermon! Personne n'a envie d'une petite sœur pot de colle qui fasse des sermons aux garçons. D'ailleurs ils n'étaient pas si grands que ça. Ils essayaient seulement de jouer les grands.»

Ramona fut éberluée. Pour elle, ça ne s'était pas du tout passé comme ça.

Ce que Beezus pouvait être injuste, alors qu'elle-même s'était montrée si intrépide! En plus, les garçons lui *avaient* paru grands.

Mme Quimby s'adressa à Beezus, comme si Ramona n'était pas là. «Un sermon! C'est une blague.»

Ramona tenta sa chance une nouvelle fois. «Maman, je…»

Beezus n'allait pas laisser sa sœur parler.

«Non, je ne blague pas. Et après, Ramona s'est planté les pouces dans les oreilles, a agité les doigts et tiré la langue. J'ai failli mourir de honte.»

Ramona se sentit soudain abattue. Elle avait cru Beezus en colère contre les garçons, mais voilà qu'en fait elle était aussi en colère contre sa petite sœur. Peut-être même plus en colère. Ramona avait l'habitude qu'on la prenne pour une petite peste, et elle savait que, de temps en temps, elle en était une. Mais là, ce n'était pas pareil. Elle eut l'impression de pouvoir se regarder elle-même comme une inconnue. Elle vit une drôle de petite fille de six ans avec des cheveux châtains tout raides, un short sale et un vieux T-shirt, hérité de Beezus, avec *Camp Namanu* imprimé sur le devant. Une petite fille idiote qui avait fait une si grosse gaffe que Beezus avait honte d'elle. Et elle avait été si fière et s'était crue si intrépide ! Elle n'était pas du tout intrépide. Elle était idiote et embêtante. Ramona se sentit d'un coup beaucoup moins sûre d'elle. Elle tenta encore sa chance. « Maman, je… »

Mme Quimby jugea que sa fille aînée méritait toute son attention. « C'étaient des garçons que tu connais ? » demanda-t-elle.

« Un peu », répondit Beezus en reniflant. « Ils sont dans notre école, et maintenant, à l'école tous les garçons de sixième vont s'en donner à cœur joie. Les garçons de sixième sont *atroces*. »

« Ils auront oublié d'ici là. » Mme Quimby

essayait de se montrer rassurante. Beezus renifla encore.

« Maman, je crois qu'on *devrait* arrêter de l'appeler Beezus. » Ramona était peut-être un peu vexée, et beaucoup moins sûre d'elle, mais elle avait ses raisons de se lancer au secours de Beezus. A chaque fois que quelqu'un demandait à Beezus où elle avait déniché un surnom aussi bizarre, Beezus répondait toujours qu'il lui venait de Ramona. Quand elle était petite elle ne savait pas prononcer « Béatrice ». Maintenant que Ramona allait entrer au CP, elle n'aimait pas se souvenir de l'époque où elle ne savait pas prononcer le nom de sa sœur.

« Je ne vois pas pourquoi je suis obligée de m'appeler Béatrice, rien que parce que j'ai une tante Béatrice », grogna Beezus. « Personne d'autre ne s'appelle Béatrice. »

« Tu n'aimerais pas avoir un nom comme tout le monde », remarqua Mme Quimby.

« D'accord », convint Beezus, « mais *Béatrice*...! »

«Beurk», lança Ramona, pour tenter de la soutenir, mais sa mère lui fit les gros yeux. «Lili, ça te plairait?» proposa-t-elle sans perdre une seconde.

Beezus la rembarra. «Ne sois pas idiote. On m'appellerait Lili Chichi ou un truc comme ça. Les garçons de sixième inventent des noms *atroces.*»

«Personne ne m'appelle autrement que Ramona Kimona.» Ramona ne put s'empêcher de réfléchir au plaisir d'avoir un surnom atroce. «Pourquoi pas tout simplement Béatrice? Personne ne peut inventer un surnom moche avec Béatrice.»

«Tu as peut-être raison», admit Beezus. «Il faudra que je sois cette bonne vieille Béatrice avec ses bons vieux cheveux châtains.»

«Moi je trouve que Béatrice c'est original», remarqua Ramona, qui elle aussi avait de bons vieux cheveux châtains mais s'en arrangeait. Être d'accord avec Beezus – Béatrice – donnait à Ramona un sentiment de confort, comme si quelque chose d'exceptionnellement agréable était arrivé. Beezus gratifia Ramona d'un sourire larmoyant en pardon – provisoire – de son sermon au parc.

Ramona se sentit rassurée et heureuse. Être d'accord avec sa sœur était tellement agréable qu'elle aurait aimé que ce soit le cas plus souvent. Malheureusement, les sujets de dispute ne manquaient pas : à qui des deux revenait de nourrir Pic-pic, le vieux chat jaune ? Qui devait changer le papier dans le plat de Pic-pic ? À qui appartenait le gant de toilette qui était resté tout trempé au fond de la baignoire ? Qui avait laissé traîner ses sous-vêtements sales dans la chambre de l'autre ? Ramona se plaignait toujours de Beezus – Béatrice – l'accusant de profiter de son âge pour jouer les gendarmes. Béatrice ripostait en disant qu'on passait tous les caprices de Ramona parce qu'elle était le bébé, et qu'elle faisait toujours des histoires. Pour le moment tout cela était oublié.

Mme Quimby sourit de voir ses filles réconciliées. «Ne t'inquiète pas, Béatrice. Si les garçons te taquinent, lève bien haut la tête et ignore-les. Quand ils verront que ça ne marche pas, ils arrêteront.»

Les deux sœurs échangèrent un regard de totale incrédulité. Elles savaient toutes deux que c'était le genre de conseil facile à donner pour les adultes, mais difficile à suivre pour les enfants. Si les garçons se souvenaient de leurs plaisanteries, Beezus risquait d'avoir à entendre «Jésus, Beezus» pendant des mois et des mois.

«Dis-moi, Ramona», reprit Mme Quimby, tandis que Béatrice filait à la salle de bains s'asperger la figure d'eau froide, «qu'as-tu raconté aux garçons au parc?»

Ramona, qui s'était affalée sur le divan, se redressa.

«Je leur ai expliqué qu'on ne doit pas blasphémer le nom du Seigneur», énonça-t-elle de sa plus belle voix d'instruction religieuse. «C'est mon professeur de catéchisme qui l'a dit.»

«Oh, je vois», dit Mme Quimby. «Et qu'ont-ils répondu?»

Ramona était contrariée. Elle sentait que sa mère trouvait ça drôle, et Ramona avait horreur que les gens s'amusent quand elle était sérieuse. «J'avais raison, hein? C'est ce que j'ai appris au catéchisme.» Entre sa mère amusée et sa sœur furieuse, elle ne savait vraiment plus où elle en était.

«Bien sûr que tu avais raison, ma chérie, mais je ne crois pas qu'une bande de garçons soit sensible à ce genre d'arguments.» La bouche de Mme Quimby ne souriait pas, mais ses yeux continuaient à pétiller de malice. «Alors, qu'ont-ils répondu, ces garçons?»

L'assurance de Ramona s'évanouit tout à fait. Elle voyait une petite fille, au parc, qui finalement n'avait peut-être pas été l'héroïne qu'elle avait crue. «Ils ont ri», admit Ramona d'une petite voix pitoyable. Pauvre petite Ramona, en butte aux moqueries et à la grossièreté des uns et des autres ! Personne ne la comprenait. Personne ne comprenait ce que c'est que d'avoir six ans et d'être la plus petite de la famille, excepté le vieux Pic-pic, et encore ! Lui, il avait dix ans.

Mme Quimby serra Ramona dans ses bras. «Allez, c'est fini maintenant», assura-t-elle. «File jouer dehors, mais, *s'il te plaît*, pas de Fabrique de Briques cet après-midi.»

«Rassure-toi, Maman. Il ne me reste plus une seule brique.»

Ramona estimait que sa mère aurait bien pu imaginer que jouer dehors était chose impossible par cet après-midi d'été brûlant, quand tous les autres enfants étaient partis à la plage, à la montagne, ou chez une grand-mère. Les deux semaines passées par les Quimby en juillet dans un chalet de montagne prêté semblaient désormais bien loin. Avec qui Ramona était-elle censée jouer ?

L'été était ennuyeux. Long et ennuyeux. Plus une seule brique pour le jeu de la Fabrique de Briques, que son ami Howie et elle avaient inventé; personne avec qui jouer, et Beezus le nez dans un livre du matin au soir.

Comme elle n'avait nulle part où «filer», Ramona resta assise à regarder sa mère, et constata que la coupe de cheveux toute récente de celle-ci et la touche d'ombre à paupières sur ses yeux la rendaient exceptionnellement jolie, cet après-midi-là. Elle se demanda si sa mère raconterait à son père l'affaire du parc, et s'ils en riraient un bon coup tous les deux derrière son dos. Elle espéra que non. Elle ne voulait pas que son père se moque d'elle.

Voir sa mère aussi jolie donna à Ramona l'envie de connaître la raison de leur tour au parc. «C'était quoi, ta course où tu n'as pas pu nous emmener?»

Mme Quimby lui adressa un autre genre de sourire, agaçant et mystérieux. «Ch-ch-ut», répondit-elle, un doigt sur les lèvres. «C'est un secret, et même traînée par quatre chevaux sauvages, je ne l'avouerais jamais.»

Ramona trouvait les secrets insupportables. «Dis-le-moi, Maman! Maman, *s'il te plaît*, dis-le-moi.» Elle jeta ses bras autour du cou de sa mère, qui sentait bon les vêtements frais et le savon parfumé. «S'il te plaît, s'il te plaît, *s'il te plaît*!» Apprendre un bon gros secret aiderait Ramona à oublier son triste après-midi.

Mme Quimby secoua la tête.

«Même si je te jure de le garder pour moi?» Ramona ne supportait pas l'idée de ne pas savoir tout de suite.

«Si je te le disais, ça ne serait plus un secret», protesta Mme Quimby.

Ça, pensa Ramona, c'était de loin la phrase la plus agaçante dans la bouche d'un adulte.

CHAPITRE DEUX
Le secret de Mme Quimby

MME QUIMBY, vêtue d'une robe au lieu de son vieux pantalon, était partie pour une nouvelle course mystérieuse. Elle avait promis de ne pas s'absenter longtemps, et Beezus et Ramona avaient promis de ne pas faire de bêtises en l'attendant – promesse plus facile à tenir pour Beezus que pour Ramona. Beezus disparut avec un livre dans la chambre que les deux filles partageaient. Ramona s'installa à la table de la cuisine avec du papier et des crayons-pastels pour dessiner l'image du chat qu'on voyait sur l'étiquette des boîtes de pâtée de la marque Chat-Botté. Ramona adorait ce chat botté à l'air crâneur, si différent de Pic-pic, qui passait le plus clair de son temps à somnoler sur le lit de Beezus.

La maison était silencieuse. Ramona travaillait gaiement, en fredonnant l'air d'une publicité télévisée. Elle prit un crayon de couleur pour dessiner la fourrure du chat, parce qu'elle pouvait tracer des traits plus fins qu'avec un crayon-pastel. Elle utilisa ses crayons-pastels pour les habits du chat botté, mais quand elle en arriva aux bottes, elle découvrit que son crayon-pastel rouge manquait. Il y avait beaucoup de chances pour qu'elle l'ait laissé dans sa chambre.

«Beezus, tu as vu mon crayon-pastel rouge?» Les filles avaient passé un accord: à la maison Ramona pouvait appeler sa sœur Beezus, mais en public elle avait intérêt à se souvenir de l'appeler Béatrice, sinon gare!

«Hum-hm.» Sans lever les yeux de son livre, Beezus agita la main en direction du lit de Ramona.

La paix entre les sœurs ne pouvait pas durer. Ramona aperçut les restes de son crayon-pastel rouge cassé au beau milieu de

son lit. «Qui a cassé mon crayon-pastel?» grogna-t-elle.

«Tu ne devrais pas laisser ton crayon-pastel sur le lit des autres, qui risquent de s'asseoir dessus.» Beezus ne levait toujours pas le nez de son livre.

Ramona trouva la réponse vraiment agaçante. «Tu devrais regarder où tu t'assois», riposta-t-elle, «et tu n'as pas besoin de jouer les gendarmes.»

«Ici, c'est mon lit.» Beezus jeta un coup

d'œil à sa sœur. «Tu as ta moitié de la chambre.»

«Je n'ai pas un centimètre pour poser mes affaires.»

«Peuh», jeta Beezus. «Tu n'es pas soigneuse et tu es fouillis, voilà tout.»

Ramona était indignée. «C'est pas vrai!» Pic-pic se réveilla, sauta du lit de Beezus, et s'éloigna, la queue en l'air. Pic-pic ne se privait jamais de manifester son peu de sympathie pour Ramona.

«Si, c'est vrai», insista Beezus. «Tu ne suspends pas tes habits, tu laisses traîner tes jouets partout.»

«Tu dis ça parce que la tringle de la penderie est juste à ta hauteur», protesta Ramona, «et que tu te trouves trop grande pour t'amuser avec des jouets.» Pour prouver à sa sœur qu'elle rangeait vraiment ses affaires, elle déposa les morceaux de son crayon-pastel dans son tiroir, par-dessus ses sous-vêtements. Elle n'avait plus envie de dessiner. Pas question de colorier des bottes avec les débris d'un crayon-pastel.

«En plus», ajouta Beezus, qui n'aimait pas qu'on l'interrompe dans sa lecture quand elle était plongée dans un bon livre, «tu es une peste.»

La traiter de peste c'était lancer un défi à Ramona, qui trouvait l'accusation injuste. Elle n'était pas une peste, du moins pas tout le temps. Elle était seulement la plus petite de la famille, et malgré tous ses efforts, elle n'arrivait pas à rattraper les autres. «Si tu me traites de peste», hurla-t-elle, «moi je raconterai à Maman que tu as du rouge à lèvres caché dans ton tiroir.»

Beezus finit par poser son livre. «Ramona Géraldine Quimby!» Elle était hors d'elle. «Tu n'es rien qu'une sale fouineuse et une rapporteuse!»

Ramona était allée trop loin. «Je ne fouinais pas. Je cherchais une épingle de nourrice», expliqua-t-elle, en ajoutant, d'une voix douce de sainte nitouche : «Et puis, d'ailleurs, je ne l'ai pas *encore* raconté à Maman.»

Beezus jeta à sa sœur un regard dégoûté. «Ramona, grandis donc un peu!»

Ramona explosa. «*Tu ne vois pas que c'est ce que j'essaie de faire de toutes mes forces?*» lança-t-elle à tue-tête. Les gens lui conseillaient toujours de grandir. A quoi croyaient-ils qu'elle occupait son temps?

«Eh bien, essaie plus fort», fut la réplique impitoyable de Beezus. «Et arrête de m'embêter quand j'en suis au moment le plus palpitant de mon livre.»

Ramona poussa ses animaux en peluche sur le côté et se jeta sur son lit avec *Les Animaux sauvages d'Afrique,* livre plein d'images intéressantes, mais qui ne comportait aucun des trois mots de grande personne, *essence, hôtel* et *hamburger,* qu'elle avait appris grâce aux pancartes, mais ne réussissait jamais à trouver dans les livres. Le livre s'ouvrit à sa page habituelle où figurait une grande photographie en cou-

leur d'un gorille. Ramona s'absorba dans la contemplation du gorille, et grava une fois de plus dans sa mémoire ce corps puissant couvert de poils bleu-noir, ces yeux minuscules, les grottes noires des narines, les bras longs et forts avec, au bout, des mains comme du cuir qui pendaient presque jusqu'à terre. Avec un frisson satisfait, Ramona referma le livre d'un coup sec. Elle n'aurait pas aimé rencontrer ce sale gorille au coin d'une rue ni le voir se balancer aux branches des arbres du parc. Elle laissa le livre s'ouvrir à nouveau. Le gorille était toujours là, qui la regardait de ses petits yeux furieux. Ramona referma le livre à nouveau. Quand Ramona s'ennuyait, elle adorait se faire peur.

«Ramona, est-ce que tu es obligée de claquer ce livre aussi fort?» demanda Beezus.

Ramona manipula le livre bruyamment plusieurs fois pour bien montrer à sa sœur qu'elle pouvait le refermer comme elle voulait et autant de fois que ça lui chantait.

«Sale peste», lança Beezus, pour montrer à Ramona qu'elle pouvait à sa guise la traiter de peste.

«Je ne suis pas une peste!» hurla Ramona.

«Un peu, que tu es une peste», brailla Beezus.

Ah, pensa Ramona, au moins je t'ai tirée de ton bouquin.

«Je ne suis pas une peste, et toi tu es un gendarme!» hurla-t-elle.

«Silence, maroufle», ordonna Beezus. «Il s'en vient là-bas une auto. Notre noble mère est de retour.» Les gens parlaient tous comme ça dans les livres que Beezus lisait ces derniers temps.

Ramona crut que Beezus crânait. «T'as pas intérêt à m'insulter!» hurla-t-elle, dans l'espoir inavouable que sa mère l'entendrait.

Bientôt Mme Quimby apparut sur le seuil, l'air en colère. Beezus lança à Ramona un regard accusateur.

«Les filles, on vous entend du bout de la rue», gronda Mme Quimby.

Ramona s'assit dans une posture innocente. «Beezus m'a injuriée.»

«Qu'est-ce que tu en sais?» demanda Beezus. «Tu ne sais même pas ce que veut dire *maroufle*.»

Mme Quimby considéra ses deux filles sur leurs lits froissés, les jouets de Ramona entassés dans un coin, la penderie pleine à craquer. Et quand elle ouvrit la bouche, il en sortit des paroles stupéfiantes. «Les filles je ne vous reproche pas de vous chamailler. Cette chambre est bien trop petite pour deux demoiselles qui grandissent. C'est normal que vous ne puissiez plus vous supporter. »

Les sœurs échangèrent un regard et se détendirent. Leur mère comprenait.

« A cela, nous allons porter remède », poursuivit Mme Quimby. « Nous allons prendre le taureau par les cornes et construire cette fameuse chambre de plus. »

Beezus s'assit, et cette fois ce fut elle qui ferma bruyamment son livre. « Oh, Maman ! » s'écria-t-elle. « Pour de *vrai* ? »

Ramona comprit pourquoi Beezus insistait sur ce dernier mot. On parlait de cette chambre supplémentaire depuis si longtemps qu'aucune des deux sœurs ne croyait plus qu'elle serait vraiment construite un jour. M. Quimby avait dessiné des plans consistant à percer le fond du placard où l'on rangeait l'aspirateur, et à agrandir la maison par la cour de derrière de façon à ajouter une petite chambre à laquelle on accéderait par ledit placard transformé en couloir. Ramona avait entendu un tas d'ennuyeux discours de grandes personnes à propos d'emprunt à la banque pour payer la chambre, mais sans jamais le moindre résultat. Tout ce qu'elle savait, c'est que son père travaillait à un truc qui avait l'air embêtant dans un bureau en ville, et qu'il n'y avait jamais assez d'argent dans la famille Quimby. Laquelle n'était certes pas pauvre, mais assez handicapée par les impôts et autres frais de scolarité.

« Où trouverons-nous l'argent pour rembourser la banque ? » demanda Beezus, plus au fait de ces choses-là que Ramona.

Mme Quimby sourit, du sourire qui précède l'annonce d'une grande nouvelle. « J'ai un travail qui débutera à la rentrée scolaire. »

« Un travail ! » s'écrièrent les sœurs à l'unisson.

« Oui », répondit leur mère. « Je vais travailler de neuf heures du matin à deux heures de l'après-midi au cabinet du Dr Perry, ce qui me permettra d'être là quand Ramona rentrera de l'école. En sortant de mon entretien avec le Dr Perry, je me suis arrêtée à la banque et j'ai tout arrangé pour emprunter de l'argent et construire la chambre.»

«Oh, Maman!» Beezus débordait d'enthousiasme. Le Dr Perry était la doctoresse qui s'occupait des contrôles de santé et des vaccins des filles depuis leur naissance. «Tu te rends compte! Tu vas être une femme libérée!»

Ramona fut ravie de voir que sa mère trouvait rigolote cette réflexion de sa sœur. Ainsi elle n'était pas la seule à dire des trucs qui amusaient les grandes personnes.

«Cela reste à prouver», répondit Mme Quimby, «et ça dépendra beaucoup de l'aide que vous m'apporterez, les filles.»

«Et puis tu verras tous ces adorables bébés!» Beezus adorait les bébés et bouillait d'impatience d'avoir enfin l'âge d'être baby-sitter. «Oh, Maman, tu as une de ces chances!»

Mme Quimby sourit. « Le Dr Perry m'engage pour tenir sa comptabilité. Je ne m'occuperai pas des bébés. »

Ramona se sentait moins enthousiaste que Beezus. « Qui s'occupera de moi quand je serai malade ? » voulut-elle savoir.

« La grand-mère d'Howie », répondit Mme Quimby. « Elle est toujours ravie de gagner un peu d'argent. »

Ramona, qui en savait long sur la grand-mère d'Howie, résolut de rester en bonne santé. « Mais qui fera les biscuits ? » demanda-t-elle.

« Oh, les biscuits… » Mme Quimby écarta le problème des biscuits comme s'il se fût agi d'une question sans aucune importance. « Nous pouvons en acheter, ou bien c'est toi qui les prépareras avec un mélange tout prêt. Tu es assez grande maintenant. »

« Je risquerai de me brûler », protesta Ramona d'un air sombre.

« Pas si tu fais attention. »

L'optimisme de Mme Quimby semblait inentamable.

Soudain Ramona et sa sœur échangèrent un regard anxieux, et chacune essaya de parler avant l'autre. «Qui aura la nouvelle chambre?» voulaient-elles savoir toutes les deux.

Ramona, en proie à de sinistres pressentiments, disparut avant la réponse. Beezus avait toujours droit à tout, parce qu'elle était l'aînée. Beezus avait le droit de se coucher plus tard, elle avait le droit de rester dormir chez Mary Jane et le droit de partir en colonie de vacances. On lui donnait tous les habits neufs, et quand ils étaient devenus trop petits pour elle, on les mettait de côté pour Ramona. C'était sans espoir.

«Ecoutez, les filles», déclara Mme Quimby, «ne vous mettez pas dans tous vos états. Votre père et moi en avons discuté et avons décidé que ce serait chacune son tour. Tous les six mois, vous échangerez.»

Ramona adressa une vive prière à Dieu.

«Qui l'aura la première?» demanda-t-elle, à nouveau anxieuse.

Mme Quimby sourit. «Toi.»

«Mam-man!» gémit Beezus. «Est-ce qu'on ne pourrait pas au moins tirer à la courte paille?»

Mme Quimby secoua la tête. «Ramona a raison quand elle dit qu'elle n'a jamais rien en premier parce qu'elle est la petite. Nous avons pensé que cette fois-ci Ramona pourrait passer en premier, pour changer. Ne trouves-tu pas que c'est juste?»

«Si!» hurla Ramona.

«J'imagine que ça l'est», admit Beezus.

«Parfait», conclut Mme Quimby. L'affaire était réglée.

«Est-ce qu'un monsieur va venir et vraiment faire un trou dans la maison?» demanda Ramona.

«La semaine prochaine», répondit sa mère.

Ramona bouillait d'impatience. L'été

n'était plus du tout ennuyeux. Il allait finalement se passer quelque chose.

Et quand l'école commencerait, elle aurait un truc excitant à partager avec sa classe pour Montre et Raconte. Un trou percé dans la maison!

CHAPITRE TROIS
Le trou dans la maison

RAMONA SE TENAIT sagement plantée à la fenêtre donnant sur la rue, le nez écrasé contre le carreau. En réalité, elle brûlait d'impatience. Elle avait hâte que l'école commence. Hâte surtout que les travaux débutent. Malgré les innombrables coups de téléphone de sa mère, les ouvriers n'étaient toujours pas apparus, et s'ils ne commençaient pas la nouvelle chambre, comment Ramona allait-elle étonner la classe du CP en racontant l'histoire du trou percé dans la maison? Ramona se rongeait d'impatience parce qu'elle n'avait rien à faire.

« Ramona, combien de fois t'ai-je répété de ne pas te frotter le nez contre la fenêtre? Tu salis le carreau. » Mme Quimby semblait elle aussi attendre le début de l'école.

Et Ramona lui répondit: «Maman! Voilà Howie. Avec des briques!»

«Oh, mon Dieu!» s'écria Mme Quimby.

Ramona se précipita dehors à la rencontre d'Howie, qui descendait Klickitat Street en traînant les pieds, sa petite remorque rouge pleine de vieilles briques, les meilleures pour jouer à la Fabrique de Briques, parce qu'elles étaient vieilles et cassées avec les coins effrités. «Où est-ce que tu les as trouvées?» demanda Ramona, qui savait à quel point les vieilles briques étaient rares dans leur quartier.

«Chez mon autre grand-mère», répondit Howie. «Un bulldozer démolissait de vieilles maisons pour construire à la place un centre commercial, et le bonhomme m'a dit que je pouvais ramasser les briques cassées.»

«Viens, on commence», dit Ramona, qui s'élança vers le garage et en revint avec deux gros cailloux qu'Howie et elle utilisaient pour jouer à la Fabrique de Briques, jeu aussi simple que passionnant.

Chacun tenait un caillou à deux mains et tapait avec sur une brique pour la casser en morceaux, puis la réduire en miettes. Taper était un travail dur et fatigant. *Pan ! Pan ! Pan !*

Et puis ils réduisaient les miettes en poussière. *Crac, crac, crac.* Ils n'étaient plus des petits de six ans. Ils étaient les plus forts du monde. Ils étaient des géants.

Quand l'allée fut couverte de poussière

rouge, Ramona tira le tuyau d'arrosage et prétendit qu'une terrible inondation allait emporter la Fabrique de Briques dans un torrent de boue rouge. «Cours, Howie! Cours avant d'être pris dedans!» hurla Ramona.

Elle était l'intrépide, l'invincible Ramona. Les tennis d'Howie laissaient des traces de pieds rouges, mais il fit juste semblant de s'enfuir. Il courut jusqu'à l'allée d'à côté et revint aussitôt. Et puis les deux recommencèrent le jeu au début. Les cheveux courts et blonds d'Howie devinrent couleur rouille. Les cheveux châtains de Ramona avaient simplement l'air minables.

Ramona, qui d'habitude s'énervait contre Howie parce qu'il prenait toujours son temps et ne se remuait qu'à regret, le trouvait un parfait joueur de Fabrique de Briques. Il était fort, et il tapait dur et sans s'arrêter. Ils se retrouvaient tous les jours dans l'allée des Quimby pour jouer à leur jeu. Leurs bras et leurs épaules leur faisaient mal. Ils avaient du sparadrap sur leurs ampoules, mais ils continuaient à taper.

Mme Quimby avait conclu que tant que Ramona jouait à la Fabrique de Briques, elle ne faisait pas de bêtises. Mais elle insinua plusieurs fois que le jeu aurait aussi bien pu de temps en temps se jouer chez Howie. A quoi Howie répondait régulièrement que sa mère avait mal à la tête ou que sa petite sœur Willa Jean faisait la sieste.

« C'est le jeu le plus bête du monde », avait déclaré Beezus qui, quand elle ne lisait pas, passait son temps à jouer au mikado avec Mary Jane. « Pourquoi est-ce que tu appelles ton jeu la Fabrique de Briques ? Tu ne fabriques pas de briques, tu en casses. »

« C'est comme ça », décrétait Ramona, qui laissait des traces couleur rouille sur le sol de la cuisine, sur les portes, et des coulures rouille dans la baignoire. Pic-pic passait un temps fou à se lécher les pattes pour les nettoyer de la poussière de brique qui s'y trouvait collée.

Mme Quimby devait laver à part les vêtements de Ramona dans la machine à laver pour éviter qu'ils ne tachent le reste du linge.

«Pourvu que les enfants s'amusent», remarquait M. Quimby, rentrant de son travail. «Et puis, au moins, ils sont dehors au soleil.»

Il était fatigué, mais il lui restait encore la force de s'enfuir en courant à toutes jambes quand Ramona se jetait sur lui pour lui coller dessus ses mains tachées de rouille. «Je vais t'attraper, Papa!» hurlait-elle. «Je vais t'attraper!» Il courait vite pour un homme de trente-trois ans, mais Ramona finissait toujours par l'attraper et par le prendre à bras-le-corps. Mais il n'était pas le genre de père à s'émouvoir d'un peu de poussière de brique sur ses habits. Les voisins disaient tous que Ramona était la fille de son père. Aucun doute là-dessus.

«Bah, l'école ne va pas tarder à recommencer», soupirait Mme Quimby.

Et puis, un matin, avant que Ramona et

Howie aient eu le temps de sortir leurs briques du garage, leur jeu fut arrêté par l'arrivée de deux ouvriers dans un vieux camion. La nouvelle chambre allait enfin être construite ! L'été valait soudain la peine d'être vécu. La Fabrique de Briques fut oubliée quand les deux vieux ouvriers déchargèrent leurs outils et marquèrent les fondations avec une ficelle. *Ping ! Ping !* Les pioches s'enfoncèrent dans la pelouse et Mme Quimby sortit en courant pour cueillir les zinnias avant que toutes les plantes soient arrachées.

«C'est là que va être ma chambre», déclara fièrement Ramona à Howie.

«Pour six mois, n'oublie pas.» Beezus continuait à penser qu'elles auraient dû tirer à la courte paille celle qui l'habiterait en premier.

Howie, qui adorait les outils, passa toute cette journée chez les Quimby à assister au début des travaux. Une tranchée fut creusée pour les fondations, des coffrages construits, le béton coulé dedans. Howie connaissait le nom de chaque outil et savait comment on l'utilisait. Howie était très fort pour réfléchir à des trucs et tout comprendre. Les ouvriers lui permirent même de se servir de leurs outils.

Ramona ne s'intéressait pas aux outils, et elle n'aimait pas non plus réfléchir à des trucs pour tout comprendre. Elle ne s'intéressait qu'aux résultats. Rapides, si possible.

Quand les ouvriers furent repartis jusqu'au lendemain, et que personne ne regardait Ramona, à qui l'on avait défendu de toucher au béton frais, elle y inscrivit son initiale personnelle, un Q avec des oreilles et des moustaches : .

Elle avait inventé sa lettre Q à la maternelle après que Mlle Binney, la maîtresse, eut signalé à la classe que la lettre Q possédait une queue. Pourquoi s'arrêter là ? avait pensé Ramona. Maintenant, son dans le béton ferait que la chambre lui appartiendrait, même quand ça serait le tour de Beezus d'y habiter.

Mme Quimby consulta les petites annonces du journal et trouva une penderie et une bibliothèque d'occasion pour Ramona, et un bureau pour Beezus ; elle mit tout ça dans le garage et elle travailla avec du papier de verre et de la peinture pour leur rendre l'aspect du neuf. Les voisins venaient voir ce qui se passait. La mère d'Howie débarqua avec le petit cochon de petite sœur, qui commençait tout juste à marcher. Mme Kemp et Mme Quimby s'assirent à la cuisine et prirent le café en discutant de leurs enfants tandis que Beezus et Ramona défendaient leurs affaires contre l'énergie dévastatrice de Willa Jean : ce que les grandes personnes appelaient « jouer avec Willa Jean ».

Quand le béton fut sec, les ouvriers revinrent pour la partie la plus excitante. Ils descendirent les pinces à levier de leur camion, et dans le crissement des clous qu'on arrachait du bois, ils décollèrent le revêtement extérieur de la maison et démolirent les lattes et le plâtre du fond du placard à aspirateur.

Ça y était, un trou dans la maison! Ramona et Howie se précipitèrent dans la maison par la porte de derrière, cavalèrent tout le long du couloir, et sautèrent par le trou, une fois, deux fois, dix fois, jusqu'à ce que les ouvriers crient: «Filez, les enfants, avant de vous faire mal.»

La joie rendait Ramona toute légère. Un vrai trou dans la maison, qui mènerait dans sa chambre toute-à-elle-pendant-six-mois! Elle pouvait à peine attendre le moment d'aller en classe, parce que, maintenant, pour la première fois de sa vie, elle avait un truc vraiment important à partager avec sa classe à Montre et Raconte!

«Ma chambre, *plang!* Ma chambre, *plang!*» chantait-elle.

«Silence, Ramona», grogna Beezus. «Tu ne vois donc pas que j'essaie de lire?»

Avant de partir jusqu'au lendemain, les ouvriers clouèrent une feuille de plastique sur le trou de la maison. Cette nuit-là, quand les sœurs furent couchées, Beezus murmura: «C'est un peu terrifiant, d'avoir un trou dans la maison.» Les bords du plastique bruissaient et claquaient dans le petit vent nocturne.

«Vraiment terrifiant.» Ramona avait eu la même pensée. «Ça donne la chair de poule.» Elle projetait de raconter au CP qu'elle avait non seulement un trou dans sa maison, mais un trou donnant la chair de poule.

«Un fantôme pourrait se couler sous le plastique», murmura Beezus.

«Un fantôme froid et visqueux», renchérit Ramona avec un frisson délicieux.

«Un fantôme froid et visqueux qui sangloterait dans la nuit», précisa Beezus, «et qui, de ses doigts glacés...»

Ramona s'enfonça dans son lit et tira son oreiller sur ses oreilles. Au bout d'un moment elle refit surface. «Je sais ce qui serait mieux», chuchota-t-elle. «Un gorille. Un gorille sans squelette qui pourrait se faufiler entre les clous du plastique...»

«Les filles!» cria du salon Mme Quimby «c'est l'heure de dormir.»

Le murmure de Ramona était à peine audible: «... et il tendrait ses mains froides, toute froides...»

«Et il nous attraperait!» acheva Beezus dans un souffle. Les sœurs frissonnèrent de plaisir et restèrent silencieuses, tandis que l'imagination de Ramona continuait à bouillonner. Le fantôme du gorille sans squelette pourrait se glisser sous la porte du placard... voyons... et pourrait se balancer sur la tringle à habits... et demain matin, quand elles ouvriraient le placard pour prendre leurs vêtements de classe, il... Ramona s'endormit avant de trouver la suite.

CHAPITRE QUATRE
Le premier jour d'école

QUAND LE PREMIER JOUR D'ÉCOLE arriva enfin, Ramona retapa toute seule son lit pour que sa mère soit une femme libérée. Elle cacha les bosses sous des animaux en peluche.

«C'est de la triche», protesta Beezus, qui elle tirait soigneusement ses couvertures.

«Peuh, ça dérange qui?» Ce matin, Beezus pouvait lui dire n'importe quoi. Ramona entrait en CP, impatiente de partir pour l'école toute seule avant que ce lambin d'Howie ne puisse la rattraper. Elle longea le couloir en faisant claquer sur le sol les semelles raides de ses sandales neuves, attrapa sa nouvelle boîte à sandwiches bleue sur la paillasse de la cuisine, embrassa sa mère et détala avant que celle-ci puisse lui recommander d'essayer d'être sage maintenant qu'elle était au CP. Elle fit crisser sous ses pieds les feuilles mortes de l'allée et redressa la tête. Elle voulait que les gens pensent: «Ramona est une vraie grande. L'année dernière elle était une petite fille de maternelle dans le bâtiment provisoire: regardez-la maintenant, c'est une grande fille qui va à l'école dans le grand bâtiment de brique.»

Une voisine qui était sortie déplacer son système d'arrosage s'écria en effet: «Bonjour, Ramona. Oh! là là, quelle grande fille tu fais!»

«Oui», répondit Ramona, mais d'un petit ton modeste. Elle ne voulait pas que les gens pensent qu'entrer au CP la rendait bêcheuse. Elle avait bien envie d'essayer un nouveau chemin, une autre rue pour aller à l'école, mais elle se dit qu'elle n'était pas encore aussi intrépide que ça.

Comme ils semblaient petits, les nouveaux élèves de la maternelle du matin! Il y en avait qui se cramponnaient à la main de leur mère. Et même un qui pleurait. Des bébés! Ramona appela son ancienne maîtresse qui traversait la cour : « Mlle Binney ! Mlle Binney ! C'est moi, Ramona ! »

Mlle Binney agita la main et sourit. « Ramona Q. ! Quel plaisir de te voir ! » Mlle Binney avait toujours compris que Ramona utilise l'initiale de son nom de famille à sa façon à elle, et quand Mlle Binney inscrivait le nom de Ramona, elle ajoutait toujours des oreilles et des moustaches à la lettre Q. C'était une maîtresse comme ça, Mlle Binney.

Ramona aperçut Beezus et Mary Jane. « Salut, Béatrice », cria-t-elle, pour que sa sœur sache qu'elle se souvenait de ne pas l'appeler Beezus à l'école. « Comment ça va, Béatrice ? »

Petit Davy sauta sur Ramona. « Ho-*hah* ! » cria-t-il.

Ramona savait que les CP n'étaient pas des as du karaté. « Tu veux dire « Hah-*yah* ! » corrigea-t-elle. Davy comprenait toujours tout de travers.

Ramona se sentit beaucoup plus petite et

intimidée quand elle gravit les marches du grand bâtiment de brique avec les grands. Elle se sentit plus petite encore quand dans le hall, en chemin vers la salle où elle rêvait d'aller depuis si longtemps, ils la bousculèrent. Salle un, au pied des escaliers menant aux grandes classes, voilà où se trouvait la classe de Ramona, c'est-à-dire celle des maternelles du matin de l'année dernière. La maternelle de l'après-midi de l'année dernière entrait en CP en salle deux.

Beaucoup d'enfants de l'ancienne maternelle de Ramona, qui avaient grandi et perdu plein de dents, étaient déjà installés derrière leurs pupitres soigneusement signalés de leurs noms. Comme les cartons qu'on met sur une table d'anniversaire, pensa Ramona. Eric J. et Eric R., petit Davy avec les jambes de ses jeans neufs retournées plus haut que les jambes de jeans d'aucun autre garçon, Susan avec ses grosses boucles comme des ressorts qui pendaient sur ses épaules. *Boïng,* pensa Ramona comme toujours. Cette année elle se promit qu'elle ne tirerait pas dessus, même si elle en mourait d'envie.

Mme Griggs était assise à son bureau. «Comment t'appelles-tu?» demanda-t-elle à Ramona. Mme Griggs, plus vieille que Mlle Binney, avait l'air assez gentille, mais bien sûr elle n'était pas Mlle Binney. Ses cheveux, sans vraie couleur, étaient partagés par une raie médiane et retenus derrière son cou par une barrette en plastique.

«Ramona. Ramona Q.»

«Bonjour, Ramona», dit Mme Griggs. «Va t'asseoir au quatrième pupitre du deuxième rang.»

Le pupitre portant le carton *Ramona* était séparé de celui de Susan par l'allée centrale. «Salut, Ramona Kimona», lança Susan.

«Salut, Susan Banane», répondit Ramona, en ouvrant son pupitre pour y prendre un crayon. Elle décolla son étiquette, y inscrivit sa lettre Q personnelle, avec oreilles et moustaches, et la recolla. Ensuite elle explora son livre de lecture pour voir si elle arrivait à trouver les mots de grandes personnes qu'elle connaissait : *essence, hôtel, hamburger*. Impossible.

La cloche sonna et après que Mme Griggs eut désigné Joey pour mener le salut au drapeau, elle fit un petit discours à ses élèves pour leur rappeler qu'ils étaient des grands maintenant, qu'ils étaient au CP, et qu'au CP on ne jouait pas comme à la maternelle. La classe était là pour travailler. Ils avaient beaucoup à apprendre, et elle était là pour le leur enseigner. Et maintenant, quelqu'un avait-il quelque chose à partager avec la classe dans le cadre de Montre et Raconte ?

Des mains s'agitèrent. Stevie montra les marrons qu'il avait ramassés sur le chemin de l'école. La classe ne fut pas impressionnée du tout. Tous ceux qui passaient sous un marronnier sur le chemin de l'école ramassaient des marrons, mais personne ne savait jamais quoi en faire. Ramona agita la main plus fort.

«Oui, Ramona. Qu'as-tu à partager avec la classe?» demanda Mme Griggs. Et puis,

apercevant l'initiale sur l'étiquette du pupitre de Ramona, elle sourit et demanda: «A moins que tu ne préfères que je t'appelle Ramona P'tit Chat?»

A la grande contrariété de Ramona, la plaisanterie de Mme Griggs fit glousser toute la classe. Tous savaient qu'elle ajoutait toujours des oreilles et des moustaches à ses Q. Il était inutile de rire à cette question de grande personne qui ne demandait pas de réponse. Mme

Griggs savait que son nom n'était pas Ramona P'tit Chat.

«Miaou», fit l'un des garçons. La salle un pouffa de rire. Certains miaulèrent, d'autres ronronnèrent, jusqu'à ce que les bruits de chats diminuent sous le regard désapprobateur de la maîtresse.

Ramona se tourna vers la classe, respira à fond et lança : «Des messieurs sont venus et ont percé un gros gros trou dans l'arrière de notre maison !» Elle fit une pause théâtrale pour donner à la classe le temps de se montrer surprise, abasourdie, peut-être aussi un peu envieuse d'une telle veine, avant d'entamer le compte rendu de ce qu'est un trou «à vous donner la chair de poule».

Au lieu de ça, la salle un, encore toute réjouie, éclata de rire. Tous les élèves, sauf Howie, pouffèrent. Ramona fut ahurie, embarrassée, éprouva une fois de plus la sensation de se voir du dehors, comme quelqu'un d'autre, une élève de CP inconnue face à sa classe, unanimement moqueuse. Que leur arrivait-il? Qu'y avait-il de drôle dans sa déclaration? Ses joues devinrent brûlantes. «C'est vrai», insista Ramona. «C'est vrai de vrai, qu'ils ont percé un trou dans notre maison.» Elle se tourna vers Mme Griggs en quête d'une approbation.

Mais la maîtresse restait perplexe, apparemment sceptique quant à la probabilité de trous percés dans les maisons. Peut-être était-ce à cause de son air incrédule que la classe riait. Ils y voyaient la preuve que Ramona inventait son histoire. «Raconte nous ça, Ramona», demanda Mme Griggs.

«Je vous assure», insista Ramona. «Je n'invente rien.» Au moins Howie, assis là l'air tellement sérieux, était encore son ami. «Howie le sait», ajouta Ramona. «Howie est venu chez moi et a sauté par le trou.»

La classe trouva ça très drôle. Howie qui sautait par un trou de la maison de Ramona. Les oreilles de Ramona lui cuisaient. Elle se tourna vers son ami pour chercher son soutien. «Howie, hein, c'est vrai, qu'ils ont percé un trou dans ma maison?»

«Non», répondit Howie.

Ramona n'en crut pas ses oreilles. «Mais c'est vrai!» hurla-t-elle. «Tu étais là. Tu les as vus. Tu as sauté par le trou comme j'ai dit.»

«Ramona», intervint Mme Griggs, d'une voix douce qui n'était ni fâchée ni même contrariée. «Tu peux retourner à ta place. Au CP, on ne crie pas dans la salle de classe.»

Ramona obéit. Des larmes d'humiliation lui piquaient les yeux, mais elle était trop fière pour les laisser couler. Mme Griggs ne lui donnait même pas une chance de s'expliquer! Et quelle mouche avait piqué Howie? Il savait bien qu'elle disait la vérité. Tu me paieras ça, Howie Kemp, pensa Ramona avec amertume. Et ça, alors qu'ils s'étaient tellement amusés en jouant à la Fabrique de Briques. Ramona projeta de s'enfuir chez elle quand sonnerait l'heure de la récréation, mais elle trouverait la porte fermée à clef, sa mère étant partie travailler dans ce bureau avec tous ces adorables bébés.

Ramona fut incapable de se concentrer sur Jack et Becky, leur chien Pal et leur chat Fluff dans son livre de lecture neuf et craquant. Elle ne réussit qu'à rester assise en ruminant : *Je disais la vérité, je disais la vérité.*

A la récréation, un des Eric cria à Ramona, «Oh, la menteuse, qu'a l'feu à sa barboteuse, et les fesses sur une fri-teuse!»

Ramona montra Howie du doigt. «C'est lui le sale menteur!» brailla-t-elle.

Howie ne perdit pas son calme. «Non, c'est pas vrai.»

Comme d'habitude, le calme d'Howie mit Ramona dans une fureur noire. Elle aurait voulu qu'il se mette en colère. Elle aurait voulu qu'il se mette à brailler. «Un peu, que tu as vu le trou», hurlait-elle. «Y a intérêt que tu as sauté à travers!»

«Bien sûr que j'ai sauté à travers. Mais

personne n'a percé de trou dans ta maison.»
déclara Howie à Ramona.

«Mais si!» s'époumona Ramona, bouillant
de rage. «Tu le sais! Tu es un sale menteur,
Howie Kemp!»

«Ça, c'est des inventions», répondit Howie.
«Deux bonshommes ont arraché un bout de
revêtement chez toi avec des leviers. Personne
n'a percé de trou.»

Ramona se sentit soudain toute dépitée.
«Quelle différence?» demanda-t-elle, sachant
bien pourtant qu'Howie avait raison.

«Enorme», assura Howie. «On perce avec
une perceuse et ensuite avec une masse, pas
avec un levier.»

«Howie Kemp! Je te déteste!» hurla
Ramona. «Tu savais ce que je voulais dire!»

Elle avait envie de le taper. Elle avait envie
de lui donner des coups de pied, mais elle se
retint, parce que, maintenant, elle était au CP.
Pourtant il lui fallait bien se venger d'Howie.
Alors elle décréta: «Je ne jouerai plus jamais

avec toi à la Fabrique de Briques! Na!»

«Okay», répondit Howie. «Puisque c'est comme ça, je viendrai les rechercher, mes briques.»

Ramona s'en voulait d'avoir parlé si vite. Les briques d'Howie allaient lui manquer.

Elle se retourna et lança un coup de pied dans le mur de l'école. Elle n'avait pas menti. Pas vraiment. Elle avait simplement voulu rendre son histoire passionnante, et comme les outils ne l'intéressaient pas, elle trouvait qu'on avait vraiment percé un trou dans sa maison. C'était l'ennui avec Howie. Si elle lui servait un verre de jus de punaises, il disait : « C'est un diabolo-menthe. » Si elle disait : « Ça fait trois mille ans que je n'ai pas mangé d'Esquimau », il rétorquait : « Tu as mangé un Esquimau la semaine dernière. Je t'ai vue. »

Ramona était dans ses petits souliers. Maintenant toute la classe, y compris Mme Griggs, pensait qu'elle était une menteuse. Et voilà, c'était à la moitié du premier matin du premier jour d'école, déjà le CP était fichu pour elle. Quand la classe rentra en salle un, Ramona ne leva plus le doigt jusqu'à la fin, et pourtant elle mourait d'envie de répondre. Elle avait envie d'aller voir Mme Griggs et de lui expliquer toute l'histoire, mais Mme Griggs semblait trop occupée pour qu'on puisse l'approcher.

L'incident était clos. A l'heure du déjeuner,

plus personne ne l'appelait plus «la menteuse qu'a l'feu à sa barboteuse», mais Ramona n'oubliait pas, et finalement Howie non plus.

L'après-midi, Ramona dut aller faire des courses avec Mme Quimby. Elle se rendit compte à cette occasion qu'être obligée de retaper son lit le matin et peut-être même de se préparer ses biscuits n'étaient pas les seuls inconvénients du nouveau travail de sa mère. Ramona serait dorénavant traînée à des courses assommantes après l'école, parce que sa mère ne pouvait plus s'en charger le matin. Quand elles revinrent et que Mme Quimby déchargea les provisions dans l'allée, la première chose que Ramona remarqua, c'était qu'Howie était passé reprendre toutes ses briques. Elle inspecta les lieux pour voir s'il lui en avait laissé rien qu'un bout, mais il avait tout emporté, jusqu'aux miettes. Et Ramona qui justement mourait d'envie de taper sur quelque chose comme une brute!

CHAPITRE CINQ
L'affaire du hibou

UN APRÈS-MIDI de la fin septembre, l'air était voilé par de lointains feux de forêt et le soleil accroché dans le ciel comme une balle de volley orange. Ramona taillait son crayon, installée à la fenêtre pour surveiller la classe de maternelle de l'après-midi de Mlle Binney, occupée à dessiner des papillons avec des craies de couleur sur l'asphalte de la cour de récréation. La journée avait été décevante pour Ramona. Elle était arrivée à l'école impatiente de parler de sa nouvelle chambre, presque terminée, mais Mme Griggs avait annoncé qu'on n'avait pas le temps pour Montre et Raconte. Après quoi Ramona s'était assise, droite comme un «i», mais Mme Griggs avait choisi Patty pour mener le salut au drapeau.

Comme les maternelles avaient l'air heureux dehors dans le soleil enfumé de l'automne ! Ramona tournait la manivelle du taille-crayons de plus en plus lentement tout en admirant les papillons aux ailes roses avec des taches jaunes et les papillons aux ailes vertes avec des taches orange. Elle regrettait de ne pas être dehors à dessiner avec ces craies aux couleurs éclatantes.

Et puis Ramona se demandait aussi ce que faisait Beezus, au premier, dans la salle de M. Cardoza. Beezus adorait l'école. Les garçons, comme l'avait prédit Mme Quimby, avaient oublié l'incident Beezus-Jésus. Chaque fois qu'à la maison Beezus ouvrait la bouche, c'était M. Cardoza par-ci ou M. Cardoza par-là. M. Cardoza permettait à ses élèves de disposer les pupitres comme il leur plaisait. M. Cardoza – devinez quoi ? – conduisait une voiture de sport rouge. M. Cardoza autorisait sa classe à apporter des souris à l'école. M. Cardoza disait des trucs rigolos qui amusaient sa classe. Quand la classe devenait trop bruyante, il disait : « Bon, on baisse un peu le son. » M. Cardoza voulait que sa classe soit bien élevée...

La voix calme de Mme Griggs interrompit les réflexions de Ramona. « Ramona, retourne donc à ta place. »

Ramona, après avoir constaté qu'elle avait taillé son crayon jusqu'à la moitié, retourna à sa place. Elle s'assit sagement tandis que Mme Griggs repoussait une mèche de cheveux derrière son oreille et déclarait, comme chaque jour depuis le premier jour du CP : « Nous ne sommes plus à la maternelle. Nous sommes au CP, et les élèves de CP doivent apprendre à bien travailler. »

Ce que Mme Griggs ne semblait pas comprendre, c'est que Ramona travaillait bien. Elle avait appris *lapin* et *pomme* et *avion* et tous les autres mots dans son livre de lecture neuf. Quand Mme Griggs lisait tout haut « jouets », Ramona savait entourer *jouets* dans son cahier d'exercices. Elle n'était pas comme ce pauvre petit Davy, qui ne s'en sortait toujours pas entre *mon* et *nom*. Quand le livre disait *mon*, Davy lisait *nom*. Quand le livre disait *nu*, Davy lisait *un*. Ramona était si triste pour Davy et elle sautait sur toutes les occasions de l'aider à entourer les bonnes images dans son cahier d'exercices. Mais Mme Griggs ne l'entendait pas de cette oreille. Elle enjoignait toujours à Ramona de «garder les yeux sur son travail». «Garde les yeux sur ton travail», était une des formules préférées de Mme Griggs. Il y en avait une autre: «Ici, on n'aime pas les rapporteurs.» Si Joey se plaignait qu'Éric J. lui eût tapé dessus, Mme Griggs répondait: «Joey, ici on n'aime pas les rapporteurs.»

Maintenant Mme Griggs énonçait: «Si Susan et Howie et Davy mangent chacun une pomme et donnent une pomme à Éric J. et une autre à Patty, combien d'enfants auront une pomme?» Ramona ne bougea pas tandis que la moitié de la classe agitait la main.

«Ramona», appela Mme Griggs, du ton de quelqu'un qui cherche à tirer quelqu'un d'autre de sa somnolence.

«Cinq», répondit Ramona. Elle s'ennuyait, mais ne somnolait pas. Elle avait appris à suivre les exercices sans cesser de réfléchir à d'autres choses dans un petit coin de sa tête. «Mme Griggs, quand est-ce que nous fabriquerons les hiboux avec des sacs en papier?»

Susan prit la parole sans lever la main. «Oui, Mme Griggs. Vous avez promis qu'on allait fabriquer des hiboux vieux et sages pour la Soirée Parents.» La Soirée Parents n'était pas comme l'Opération Portes ouvertes. A la Soirée Parents, les enfants restaient à la maison pendant que les parents venaient à l'école écouter les professeurs expliquer ce que les enfants apprendraient pendant l'année.

«Oui», s'écria Howie. «On a pensé à apporter les sacs en papier.»

Mme Griggs sembla accuser un coup de fatigue. Elle regarda la pendule.

« Hou-hou ! » hulula Davy, ce qui était courageux de sa part mais – Ramona ne put s'empêcher d'y penser – faisait un peu bébé de maternelle. Les autres ne devaient pas partager son avis, puisque la salle de Mme Griggs s'emplit d'un concert de hululements.

Mme Griggs coinça sa mèche de cheveux derrière son oreille et capitula. « D'accord, les enfants. Comme il fait très chaud, on va remettre à plus tard le travail assis et nous allons nous mettre à nos hiboux. »

Aussitôt la salle un se réveilla complètement. Des sacs en papier et des crayons-pastels jaillirent des pupitres. Les responsables des ciseaux distribuèrent les ciseaux. Les responsables du papier distribuèrent des carrés de papier orange, noirs et jaunes. Mme Griggs sortit les pots de colle et des sacs en papier pour ceux qui avaient oublié d'en apporter. Les élèves allaient fabriquer des hiboux, marquer leur nom dessus, et les poser sur leur pupitre pour que leurs parents les admirent.

À la pendule électrique, les minutes passaient en tictaquant à une vitesse incroyable. Mme Griggs montra à la classe comment découper des triangles orange pour le bec et de grands ronds jaunes avec des ronds noirs plus petits par-dessus pour les yeux. Elle dit à Patty de ne pas s'en faire si l'un des côtés de son sac en papier portait l'inscription *Glaces Frosty*. Elle n'avait qu'à le retourner et l'utiliser à l'envers. La plupart des élèves essayèrent de faire des hiboux qui regardaient droit devant eux, mais Éric R. en fit un qui louchait. Ramona plaça ses yeux dans différentes positions et décida finalement qu'ils regarderaient vers la droite. Et puis elle remarqua que le hibou de Susan regardait aussi du côté droit.

Ramona se renfrogna et prit son crayon noir. Puisque le hibou devait avoir l'air d'un vieux sage, elle lui dessina des lunettes ; mais, du coin de l'œil, elle remarqua que Susan l'imitait. Susan copiait le hibou de Ramona ! «Copieuse !» chuchota Ramona, mais Susan l'ignora et repassa ses lunettes au crayon-pastel pour les noircir.

«Ramona, occupe-toi de ton travail», rappela Mme Griggs. «Howie, il est inutile de coller tes yeux à coups de poing. La colle suffira à les fixer.»

Ramona ramena son hibou tout contre elle et le cacha tant bien que mal entre ses bras pour que cette sale copieuse de Susan ne puisse plus rien voir. Avec son crayon-pastel marron elle dessina des ailes et se mit à couvrir son hibou de V, qui représentaient les plumes.

Maintenant Mme Griggs allait et venait entre les pupitres, admirant et donnant son avis. Le hibou de Karen était un si joli et gentil hibou! Mon Dieu, comme il avait de grands yeux, le hibou de Patty! Georges gâchait la colle. Et plusieurs autres aussi.

«Les enfants, quand nous mettons trop de colle», déclara Mme Griggs, «et qu'ensuite nous tapons du poing sur nos yeux, nos yeux glissent.»

Ramona se félicita des yeux antiglisse de son hibou.

Mme Griggs s'arrêta entre les pupitres de Ramona et de Susan. Ramona se pencha en avant sur son hibou, elle voulait que Mme Griggs ait la surprise quand il serait terminé. «Comme il est vieux et sage ton hibou, Susan!» Mme Griggs éleva à bout de bras le hibou de Susan pour que toute la classe le voie; Susan essayait de prendre un air modeste et fier à la fois. Ramona était furieuse. Le hibou de Susan avait des ailes et des plumes exactement comme son hibou à elle. Susan avait regardé en douce! Susan avait copié! Elle jeta un regard mauvais à Susan et pensa: «Copieuse, copieuse!» Elle brûlait d'envie de dire à Mme Griggs que Susan avait copié, mais elle connaissait déjà la réponse: «Ramona, ici, on n'aime pas les rapporteurs.»

Mme Griggs ne tarissait pas d'éloges sur le hibou de Susan. «Susan, ton hibou regarde quelque chose. A ton avis, que regarde-t-il?»

«Euh… Euh…» Susan était prise au dépourvu. «Euh… Un autre hibou?»

Quelle idiote, pensa Ramona. Il regarde une chauve-souris, une souris, une sorcière à cheval sur un manche à balai, Superman, tout sauf un autre hibou.

Mme Griggs suspendit le hibou de Susan avec deux trombones au fil de fer qui passait au-dessus du tableau noir, pour que tout le monde puisse l'admirer. «Les enfants, c'est l'heure de ranger vos pupitres. Les responsables des ciseaux, ramassez les ciseaux», ordonna Mme Griggs. «Laissez vos hiboux sur vos pupitres, je les suspendrai quand la colle sera sèche.»

Ramona fourra ses crayons-pastels si brutalement dans leur boîte qu'elle en cassa plusieurs, mais ça lui était égal. Elle refusa de regarder Susan. Elle regarda son hibou à elle, qui n'avait plus du tout l'air à elle. Tout à coup elle se mit à le détester. Tout le monde allait penser que Ramona avait copié le hibou de

Susan, alors que c'était le contraire! Ils l'appelleraient Ramona la Triche au lieu de Ramona P'tit Chat. Des deux mains, elle froissa son hibou, son sage hibou magnifique, en fit une boulette et la tassa de toutes ses forces. Puis, la tête haute, elle traversa la salle à grandes enjambées et jeta la boulette dans la corbeille à papier. Et quand la cloche sonna, elle sortit de la salle d'un pas décidé, sans se retourner.

Toute la semaine Ramona contempla les hiboux suspendus en guirlande au-dessus du tableau noir. Des hiboux qui louchaient, des hiboux de gâcheurs de colle avec des yeux qui avaient glissé dans tous les azimuts, des hiboux borgnes dus aux radins qui avaient eu tellement peur de gâcher de la colle qu'ils n'en avaient pas mis assez, et, à la place d'honneur, en plein centre, le hibou sage et beau de Susan copié sur le hibou de Ramona.

Si Mme Griggs remarqua que le hibou de Ramona manquait, elle ne fit pas de commentaire. L'après-midi qui précéda la Soirée Parents, elle décrocha les hiboux du fil et les rendit à leurs propriétaires avec des feuilles de vieux journaux à froisser et à bourrer dedans pour les maintenir debout. Toute triste de ne pas avoir de hibou à poser sur son pupitre, Ramona fit semblant de ranger son bureau.

«Ramona, où il est, ton hibou?» demanda Susan, qui savait très bien ce qui était arrivé au hibou de Ramona.

«Toi, la ferme», grogna Ramona.

«Mme Griggs, Ramona n'a pas de hibou», signala Howie, qui était le genre de garçon à toujours s'assurer que tout se passait normalement dans la classe.

Ramona lui jeta un regard noir.

«Eh bien, Ramona», dit Mme Griggs. «Qu'est-il arrivé à ton hibou?»

Ramona répondit avec toute la dignité dont elle était capable: «Les hiboux, je n'aime pas ça.»

Ce n'était pas vrai; c'était même si faux

qu'elle en aurait pleuré. Mais Mme Griggs ne la traiterait pas de rapporteuse.

Mme Griggs considéra Ramona avec l'air d'essayer de percer une énigme. Puis elle finit par répondre : « Très bien, Ramona. Si c'est là ton goût… »

Ce n'était pas le goût de Ramona, mais elle fut soulagée que Mme Griggs lui permette de se priver de hibou pour la Soirée Parents. Soulagée, mais pas gaie pour autant – et même en plein désarroi. Quel était le pire, une copieuse ou une rapporteuse ? Ramona estima que c'était une copieuse. Elle se joignit sans enthousiasme à la classe qui rangeait la salle pour les parents, et chaque fois qu'elle passait devant le pupitre de Susan, sa colère grandissait. Susan était une copieuse et une tricheuse. Ramona brûlait d'envie d'attraper une de ses boucles et de tirer dessus à fond avant de la relâcher. *Boïng,* pensa-t-elle, mais elle retint ses mains, ce qui n'est jamais facile, même quand on est au CP.

Susan disposa son hibou sur son pupitre et lui donna une petite tape affectueuse : la fureur étouffait Ramona, mais Susan faisait semblant de ne pas le remarquer.

Enfin la classe fut en ordre pour la Soirée Parents. Vingt-cinq hiboux se tenaient bien droits, regardant dans toutes les directions. La cloche sonna. Mme Griggs prit son poste à côté de la porte, et la classe commença à sortir.

Ramona quitta son pupitre, ivre de colère. Sa tête commandait à ses mains de se tenir tranquilles, mais ses mains n'obéirent pas. Elles attrapèrent le hibou de Susan et le froissèrent dans un bruit de papier qui craque.

Susan hoquetait. Ramona tordit son hibou aussi fort qu'elle put dans tous les sens, jusqu'à ce qu'il ne soit plus qu'un résidu de sac en papier gribouillé de crayon-pastel. Hors d'elle-même, Ramona venait d'accomplir un acte horrible!

«Mme Griggs!» hurla Susan. «Ramona a écrabouillé mon hibou!»

«Rapporteuse.» Ramona jeta le bouchon de papier par terre, et comme Mme Griggs approchait, elle esquiva la maîtresse, franchit la porte et s'engagea dans le couloir à toutes jambes, oubliant l'interdiction de courir dans les couloirs. Elle se faufila entre les grandes

classes, qui étaient déjà descendues, elle joua des coudes à travers l'autre CP qui sortait de la salle deux, dégringola les marches et se retrouva hors du bâtiment sur le chemin de sa maison, courant à toute allure, ses sandales martelant le trottoir et faisant craquer les feuilles mortes. Elle courait comme si elle avait eu à ses trousses à la fois Susan, Mme Griggs, la directrice, toute la salle un au complet, bref, l'école entière. Elle courait pour échapper à sa conscience et même à Dieu, qui, d'après le cours de catéchisme, était partout. Elle courait comme poursuivie par la Chose, par l'Innommable et par l'Inconnaissable.

Elle courut en tout cas jusqu'à ce que ses poumons, pleins d'air enfumé, lui semblent près d'éclater, et courut jusqu'à ce que ses sandales glissent sur les feuilles sèches et la précipitent à plat ventre sur le trottoir. Ignorant la douleur, elle se remit debout et continua vers chez elle, titubant et du sang dégoulinant de ses genoux écorchés.

Ramona arriva en coup de vent par la porte de derrière, ayant échappé de justesse à la Chose. «Maman! Maman! Je suis tombée!» réussit-elle à crier, hors d'haleine.

«Oh, mon pauvre bébé!» Mme Quimby jeta un coup d'œil aux jambes sanguinolentes de Ramona et la conduisit à la salle de bains, où elle s'agenouilla et lava ses plaies, les tamponna avec du désinfectant, et les recouvrit de sparadrap.

La compassion que lui manifestait sa mère poussa Ramona à s'apitoyer elle-même terriblement sur son propre sort. Pauvre petite CP incomprise!

Mme Quimby lava le visage plein de sueur et de larmes de Ramona avec un gant de toilette, l'embrassa pour la consoler et murmura: «Quelle intrépide petite fille!»

Ramona voulut protester («Je t'assure que je ne suis pas intrépide, Maman. J'ai même très peur, parce que j'ai fait quelque chose de mal»). Mais elle ne put se résoudre à avouer la vérité. Pauvre petite Ramona avec ses genoux à vif! C'était tout de la faute de cette vilaine Susan, de cette sale copieuse.

Mme Quimby s'assit sur ses talons. «Devine?» dit-elle.

«Quoi?» Ramona espéra follement une merveilleuse surprise pour compenser sa triste journée. Ramona désirait toujours des surprises merveilleuses. Elle était comme ça.

«Les ouvriers ont terminé la nouvelle chambre, et avant de partir ils ont installé ton lit, le placard et la bibliothèque que nous avions transportés dans le garage. Cette nuit, tu vas dormir dans ta chambre tout à toi!»

«*C'est vrai?*»

Ça c'était vraiment une merveilleuse surprise. Il y avait eu des jours où les ouvriers n'étaient pas venus et où toute la famille Quimby avait perdu espoir de voir la chambre enfin terminée. Ramona avait mal aux genoux, mais quelle importance? Elle se précipita dans le couloir pour voir sa chambre.

Oui, il y avait son lit dans un coin, la bibliothèque remplie de plus de jouets que de livres dans un autre et, contre le mur, le placard.

Pour la première fois Ramona se regarda dans sa glace tout à elle dans sa chambre tout à elle. Elle vit une inconnue aux yeux rouges et gonflés, le visage barbouillé de larmes, sans aucune ressemblance avec la Ramona qu'elle estimait être. Ramona se considérait comme le genre de fille que tout le monde ne peut qu'aimer. Alors que cette fille-là...

Ramona se renfrogna, la fille se renfrogna. Ramona réussit à faire un petit sourire : la fille l'imita. Ramona se sentit mieux. Il fallait que la fille dans le miroir se mette à lui ressembler.

CHAPITRE SIX
La Soirée Parents

RAMONA S'ÉTAIT ENFERMÉE dans son nouveau placard et faisait comme si c'était un ascenseur. Elle fit coulisser la porte et sortit dans sa nouvelle chambre, comme si elle se trouvait au dixième étage. Là elle respira à fond, aspirant à pleins poumons la senteur du bois neuf et l'odeur fade du ciment, que son père peindrait dès que possible. Faute de temps, sa mère n'avait pas encore non plus trouvé de rideaux pour les fenêtres ni nettoyé les taches de mastic sur les vitres, mais Ramona ne s'en souciait pas. Cette nuit, elle allait dormir pour la première fois dans sa chambre-tout-à-elle-pour-six-mois, la seule chambre de la maison qui eût un placard à portes coulissantes et des fenêtres s'ouvrant vers l'extérieur au lieu de fenêtres à guillotine.

«Ramona, la grand-mère d'Howie est arrivée», cria Mme Quimby. «Nous partons.»

Ramona rentra dans son placard, referma la porte coulissante, appuya sur un bouton imaginaire, et quand son ascenseur imaginaire eut terminé sa descente imaginaire, elle sortit au véritable rez-de-chaussée et affronta le vrai problème. Son père et sa mère partaient pour la Soirée Parents.

Après que Ramona eut dit bonjour à la grand-mère d'Howie («Dis bonjour à la grand-mère d'Howie, Ramona»), elle se laissa tomber sur une chaise et tira sur un coin de sparadrap pour examiner son genou blessé, déçue que la grand-mère d'Howie n'ait rien remarqué.

«Je ne vois pas pourquoi vous devez aller à la Soirée Parents», dit Ramona à son père et à sa mère. «Je suis sûre que c'est casse-pieds.»

«Nous voulons entendre ce que Mme

Griggs a à dire», répondit Mme Quimby.

C'était bien ce qui préoccupait Ramona.

«Et je tiens à rencontrer le fameux M. Cardoza», intervint M. Quimby. «On a tellement entendu parler de lui.»

«Papa, je t'assure qu'il va te plaire», s'écria Beezus. «Tu sais ce qu'il a dit quand j'ai eu cinq mauvaises réponses à mon interro de maths? Il a dit: "Bon. Maintenant je vois très bien ce que tu ne comprends pas." Et puis il a ajouté qu'il était là pour m'aider à comprendre, et c'est ce qu'il a fait!»

«Nous sommes invités chez Howie après la Soirée Parents», annonça Mme Quimby, «mais nous rentrerons tôt.»

Beezus fit une grimace et souffla à Ramona: «Ça veut dire qu'ils vont discuter de leurs enfants. Ils font toujours ça.» Ramona savait que sa sœur disait vrai.

M. Quimby sourit en passant la porte. «Ne vous inquiétez pas. Nous ne révélerons pas les secrets de famille.»

Beezus alla s'enfermer dans sa chambre, impatiente de faire ses devoirs à son nouveau bureau. Ramona tira sur l'autre sparadrap et examina son autre genou, en se demandant si ce que Mme Griggs raconterait à coup sûr au sujet du hibou de Susan serait considéré comme secret de famille. Elle mit son doigt sur son écorchure et cria : « Aïe ! » assez fort pour que la grand-mère d'Howie l'entende. Mais Mme Kemp ne demanda pas : « Dis donc, Ramona, qu'est-ce qui est arrivé à ton genou ? » Alors Ramona recolla le sparadrap et se mit à examiner sa garde d'enfants.

Mme Kemp portait des lunettes avec des montures violettes. Elle n'était pas le genre de garde d'enfants qui jouait à des jeux. Quand elle venait garder Ramona et Beezus, elle gardait surtout les yeux sur la télévision. Assise sur le divan, elle tricotait un truc en laine verte, en suivant un vieux film, une histoire ennuyeuse de grandes personnes qui parlaient beaucoup et ne faisaient pas grand-chose d'autre. Ramona aimait les bonnes comédies pleines d'action, avec des tas d'enfants, des animaux et des grandes personnes qui faisaient des trucs idiots. Ce qu'elle préférait ensuite c'étaient les publicités d'aliments pour chats.

Ramona ramassa le journal du soir par terre à côté de sa chaise.

« Bon, je crois que je vais lire le journal », déclara-t-elle d'un ton censé impressionner la grand-mère d'Howie. Elle examina les gros titres en produisant dans sa tête une sorte de bourdonnement chaque fois qu'elle rencontrait des mots qu'elle ne savait pas lire. «Z-z-z-courir après z-z-z-z», lut-elle. «Z-z-z-z de z-z-z-zant monter». Elle tourna une page. «Z-z-z-z jouer z-z-z-z à z-z-z-z. Jouer à quoi?» se demanda-t-elle, et avec un léger sentiment de triomphe, elle découvrit que les Z-z-z-z allaient jouer au z-z-z-zball.

«Quelles sont les nouvelles, ce soir?» demanda Mme Kemp sans lâcher des yeux le poste de télévision.

Enfin un peu d'attention.

«Quelqu'un va jouer à une espèce de jeu de balle», répondit Ramona, fière d'avoir vraiment lu quelque chose dans le journal, et espérant que Mme Kemp s'écrierait: «Dis-moi, Ramona, je ne me doutais pas que tu lisais si bien.»

«Oh, je vois», marmonna Mme Kemp, selon la formule qu'emploient les grandes personnes – Ramona le savait – quand elles n'ont pas envie de discuter avec les enfants.

Ramona fit une nouvelle tentative. «Je sais mettre le couvert», se vanta-t-elle.

Au lieu de répondre : «Tu dois être d'une grande aide pour ta mère», Mme Kemp se contenta de murmurer : «Mm-hm», les yeux toujours rivés au poste de télévision.

Ramona reprit : «J'ai une chambre à moi, et cette nuit je vais dormir dedans toute seule.»

«C'est bien», répondit Mme Kemp distraitement.

Ramona abandonna. Pour la conversation, Mme Kemp était nulle. La pendule marquait sept heures et demie. Ramona, qui avait conquis de haute lutte le droit de rester debout jusqu'à huit heures et quart, et tentait depuis peu d'obtenir huit heures et demie, se dit que, ses parents n'étant pas là, elle ne perdrait rien de ses droits acquis en allant tout de suite au lit essayer sa nouvelle chambre. Elle souhaita bonne nuit et prit son bain sans utiliser son gant de toilette, pour ne pas perdre le temps de l'essorer et de le suspendre. Puis elle se mit au lit, éteignit la lumière, récita ses prières en demandant au Bon Dieu de bénir sa famille, y compris Pic-pic, et elle resta étendue comme une grande, toute seule dans son lit, dans sa chambre à elle.

Malheureusement, Ramona avait beau faire semblant de croire que l'heure de se coucher était venue, elle n'avait aucune envie de dormir et ne pouvait s'empêcher de penser à un tas de choses. Elle se demanda ce qui se passait à l'école. Elle se sentit de plus en plus coupable à cause du hibou de Susan. Qu'arriverait-il quand son père et sa mère apprendraient toute l'abominable histoire ? Ils seraient déçus par Ramona, voilà, et rien ne chagrinait plus Ramona que l'idée de décevoir ses parents.

La grand-mère d'Howie tricotait dans le canapé, mais la maison semblait quand même vide.

Ramona pensa au gorille du livre rangé dans sa bibliothèque, et regretta aussitôt d'y avoir pensé. Un coup de feu et un cri de femme vinrent du poste de télévision. Il n'y avait pas de quoi avoir peur, se dit Ramona. C'était juste la télé. Elle regretta que sa fenêtre n'ait pas de rideaux.

Ramona craignait d'apprendre ce que Mme Griggs aurait raconté, mais elle avait absolument besoin de le savoir. Comme Beezus l'avait prédit, ses parents n'allaient pas manquer de bavarder de leurs enfants pendant des heures avec les parents d'Howie. Mme Kemp décréterait qu'Howie avait besoin d'apprendre à être créatif, et la mère de Ramona décréterait que Ramona avait besoin d'apprendre à être raisonnable comme Beezus. Inutile de chercher à savoir ce dont les pères discuteraient – bien que les pères, Ramona le savait, passent bien moins de temps que les mères à inventer des façons d'améliorer leurs enfants.

Ramona résolut d'agir. Elle sortit de son lit et trottina pieds nus jusqu'au bout du couloir.

La grand-mère d'Howie leva les yeux de

son tricot. «Tu devrais dormir, Ramona», remarqua-t-elle.

Donc, le temps passait tout de même. «Je sais», répondit Ramona, qui ne put résister à l'envie de crâner encore un peu. «Il faut que je laisse un mot à ma mère.» Sur le bloc-notes à côté du téléphone, elle inscrivit avec soin :

maman REVIEMS
je t'en suppLie REVIENt

Inutile de signer le mot. Sa mère saurait de qui il était, parce que Beezus écrivait en cursive. Ramona laissa son mot sur la table de l'entrée, où la famille déposait toujours le courrier et les messages. Après quoi elle se glissa tout près de la grand-mère d'Howie, et fit semblant de s'intéresser à son tricot, qui avait l'air d'un petit pull d'une drôle de forme.

«C'est pour une poupée?» demanda Ramona.

Les yeux de Mme Kemp ne quittèrent pas l'écran de télévision, où deux grandes personnes ennuyeuses se disaient adieu pour toujours. «C'est un pull pour mon teckel», répondit-elle. «Quand j'aurai terminé, je tricoterai un petit béret pour aller avec. Et maintenant, file te coucher.»

A contrecœur, Ramona retourna à son lit et à ses soucis. Elle entendit Beezus prendre son bain, se mettre au lit et éteindre la lumière sans qu'on le lui demande. Beezus était une fille comme ça. Il n'arriverait jamais à Beezus une histoire du genre du hibou de Susan. Ramona avait mauvaise conscience, et il n'y a rien de pire au monde que d'avoir mauvaise conscience. Ramona pensa au fantôme et au gorille sans squelette avec lesquels Beezus et elle s'étaient fait peur la nuit du trou dans la maison, mais elle chassa bien vite ces pensées en imaginant la surprise de sa mère quand elle découvrirait le mot de grande personne qu'elle lui avait écrit. Ramona dut finir par s'endormir, parce que tout à coup sa mère lui chuchotait : «Ramona?»

«Je suis réveillée, Maman. Tu as trouvé mon mot?»

«Oui, Ramona. Je n'aurais jamais cru que tu étais assez grande pour laisser un mot.» Les paroles de Mme Quimby réjouirent Ramona. Sa mère, elle, savait faire la conversation!

Beezus appela de sa chambre. «De quoi avez-vous parlé chez les Kemp?»

«Du nouveau travail de ta mère», répondit M. Quimby.

«Oh», dit Beezus. «Et de quoi d'autre?»

«Du coût exorbitant de la vie. Du football. De choses comme ça», répondit M. Quimby. «Pas des secrets de famille.»

Dans le noir, Mme Quimby se cogna au lit de Ramona.

«Maman?»

«Oui, Ramona.»

«Qu'est-ce qu'elle a dit de moi, Mme Griggs?»

La réponse de Mme Quimby fut nette et sans détours.

«Elle a dit que tu avais refusé de faire un hibou comme le reste de la classe, et que sans raison tu avais chiffonné celui que Susan s'était donné tant de mal à fabriquer.»

Beezus se tenait debout dans le couloir. «Oh, les hiboux…» lança-t-elle, en se souvenant. «Après on fait des trucs pour la fête de Thanksgiving*.»

Les larmes montèrent aux yeux de Ramona. Mme Griggs était si injuste! Après les hiboux viendraient les dindes, et les ennuis recommenceraient.

«J'ai été très peinée d'apprendre ça, Ramona», dit Mme Quimby. «Mais quelle mouche t'a donc piquée?»

Les lèvres serrées de Ramona tremblèrent. «C'est pas vrai, Maman», réussit-elle à articuler. «Maman, c'est pas vrai.» Ramona lutta

---

* *Thanksgiving*: fête observée chaque année le quatrième jeudi du mois de novembre, et au cours de laquelle on mange traditionnellement de la dinde (NdT).

de toutes ses forces pour se contenir. Maintenant M. Quimby et Beezus s'étaient approchés, ombres attentives sur le seuil de la porte. «Maman, j'ai fait un hibou. Un beau hibou.» Ramona inspira à fond et raconta d'une voix tremblotante ce qui était arrivé: comment Mme Griggs avait admiré le hibou de Susan et remarqué qu'elle n'avait pas gâché de colle, et comment elle, Ramona, avait jeté son propre hibou pour que les autres ne pensent pas qu'elle avait copié sur Susan. «Et alors j'ai chiffonné son hibou», conclut-elle, soulagée du poids de sa confession.

«Mais quelle importance?» s'étonna Mme Quimby. «La classe fabriquait des hiboux pour s'amuser. Ce n'était pas comme de copier en calcul ou en dictée.»

«Mais si, ça avait de l'importance.» Beezus intervint avec toute l'autorité d'une élève de classe supérieure. «Une grosse importance, même.»

Ramona lui fut reconnaissante de son soutien. «Je voulais que mon hibou soit vraiment à moi.»

«Bien sûr», dit M. Quimby, qui avait autrefois créé des bandes dessinées pour le journal de son collège. «Tout artiste tient à l'originalité de son œuvre. Mais ça ne t'excuse pas d'avoir essayé de détruire le hibou de Susan.»

Ramona laissa échapper un long soupir. «J'étais furieuse. Cette sale copieuse de Susan se prenait tellement au sérieux.»

Mme Quimby lissa les couvertures de Ramona et dit: «Allons, c'est Susan qui est à plaindre, alors que toi tu as de la chance. Tu sais trouver tes idées à toi parce que tu as de l'imagination.»

Ramona se tut, le bec cloué par cette sentence.

«Pour le moment, ça ne me sert à rien», finit-elle par objecter.

«Un jour, ça te servira.» Mme Quimby se releva. «Pour le moment, en tout cas, Mme

Griggs veut que tu demandes pardon à Susan de lui avoir démoli son hibou.»

«Maman!» gémit Ramona. «Est-ce que j'y suis *obligée*?»

«Oui, Ramona. Absolument.» Mme Quimby se pencha et embrassa Ramona en lui souhaitant bonne nuit.

«Mais, Maman, c'est pas juste! Susan est une copieuse et une rapporteuse.»

Mme Quimby soupira à nouveau. «Peut-être, mais ça ne te donne pas le droit de démolir ce qu'elle a fait.»

M. Quimby, à son tour, embrassa Ramona en lui souhaitant bonne nuit. «Courage, ma vieille», dit-il. «Ça finira par s'arranger.»

Et comme tous quittaient la chambre, Ramona entendit Beezus déclarer: «Mme Griggs a toujours adoré les excuses.»

Ramona était étendue dans son lit, les idées aussi emmêlées que des bâtonnets de mikado. L'œuvre de Susan n'était qu'un vieux sac en papier, et qui donc s'intéressait à un vieux sac en papier? Susan, personne d'autre. Mais Ramona ne pouvait pas échapper à la vérité: quand l'école avait commencé, elle était amie avec Susan, et maintenant voilà où en étaient les choses. Ramona avait tout gâché. Ramona gâchait toujours tout. Bercée par la pensée sinistre de son mauvais caractère, Ramona s'endormit.

Le lendemain matin, quand elle partit pour l'école, elle demanda à sa mère comment s'excuser auprès de Susan.

«Dis-lui simplement: Je regrette d'avoir abîmé ton hibou», conseilla Mme Quimby. «Et puis, essaie d'éviter les disputes à l'avenir.»

Le vent avait tourné pendant la nuit, un peu de pluie était tombée, et l'air était clair et frais. Les pieds de Ramona pesaient des tonnes dans les feuilles mortes détrempées. Comment éviter les disputes, quand il était si difficile de prévoir ce qui allait mal tourner? Ramona continua à avancer à pas lourds, comme pataugeant dans de la glu, et arrivée à l'école, elle resta en silence à regarder les maternelles de Mlle Binney jouer à chat. Comme elle avait été jeune et joyeuse, l'année dernière! Mlle Binney fit un signe, et Ramona, sans sourire, agita la main en réponse.

La cloche sonna. Ramona entra, penaude, dans la salle un, et s'assit à sa place sans regarder Susan. Peut-être que Mme Griggs serait tellement absorbée par ses projets de travail assis qu'elle oublierait le hibou.

Mais Ramona aurait dû s'en douter. Tout à coup, au beau milieu de Montre et Raconte, Mme Griggs annonça: «Ramona a quelque chose à nous dire.»

Ramona sursauta. «Je n'ai rien apporté à montrer, aujourd'hui», répondit-elle.

«Tu as quelque chose à dire à Susan», insista Mme Griggs. «Viens sur l'estrade.»

Ramona était horrifiée. Maintenant? Devant toute la classe? La salle un se retourna et dévisagea Ramona.

«Nous attendons», prévint Mme Griggs.

Ramona eut l'impression qu'elle marchait avec les pieds de quelqu'un d'autre qui la portaient malgré elle jusqu'à l'estrade, où elle resta un long moment plantée à penser : Non ! Non ! épiée par vingt-cinq paires d'yeux. Vingt-six, en comptant ceux de Mme Griggs. Elle avait les joues brûlantes, les yeux trop secs pour pleurer, et la bouche trop sèche pour parler.

Le silence était effrayant, sauf le tic-tac de la pendule électrique. Ramona leva des yeux désespérés vers Mme Griggs, qui lui adressa un sourire d'encouragement mais ne céda pas. Il n'y avait pas d'échappatoire.

Ramona regarda le bout de ses sandales, remarqua que le neuf était parti, et, après avoir avalé sa salive, réussit à parler d'une petite voix pitoyable. « Je regrette d'avoir écrasé le hibou de Susan. »

« Merci, Ramona », dit Mme Griggs d'une voix douce.

Ramona regagna sa place, accablée par l'air triomphant de Susan. Cette sainte nitouche de Susan ! Ramona la fusilla du regard et ajouta à son intention dans un murmure furieux : « Même si tu es une sale copieuse – *pourrie* ! »

Mme Griggs n'entendit pas, parce qu'elle était en train de dire : « Les enfants, ouvrez votre livre de calcul à la page dix. Qui peut me dire combien il y a de moufles dans l'image en haut de la page ? »

La salle bourdonna pendant qu'on comptait les moufles. Les joues de Susan étaient en feu sous les boucles *boïng-boïng*. Elle ne comptait pas les moufles.

Ramona se réjouit férocement d'avoir mis Susan dans l'incapacité de compter des moufles.

«Sept moufles.» Plusieurs élèves parlèrent en même temps.

«C'est juste», dit Mme Griggs. «Mais n'oublions pas de lever le doigt. Maintenant supposons qu'on perde trois moufles. Combien en reste-t-il?»

Ramona non plus ne comptait pas les moufles. Elle regardait Mme Griggs, debout dans son pull vert pâle, une mèche de cheveux lui pendant devant chaque oreille. Elle était toujours si calme! Ramona aimait les gens qui s'excitaient. Elle aurait préféré une maîtresse en colère contre elle plutôt qu'une maîtresse qui ne perdait jamais son calme.

Mme Griggs en finit avec les moufles, et

fit compter des ballons. La calme Mme Griggs. Mme Griggs qui ne comprenait pas. Mme Griggs qui n'arrêtait jamais, jamais, jamais de compter et d'additionner et de soustraire, et de lire les aventures de Tom et Becky, de leur chien Pal et de leur chat Fluff, lequel pouvait courir, courir, courir et revenir, revenir, revenir. Mme Griggs était toujours calme. Elle n'élevait jamais la voix. Avec elle, tout était net, bien ordonné et sans gâchis de colle.

Ramona aurait voulu courir, courir, courir hors de cette salle de classe comme elle l'avait fait la veille, et ne jamais revenir.

CHAPITRE SEPT
Seule dans le noir

Ramona ne s'enfuit pas, car où s'enfuir? Elle n'avait nulle part où aller. Dès lors, chacune de ses journées sembla traîner plus lentement que la veille. Chaque matin, Mme Quimby regardait par la fenêtre la pluie qui dégoulinait des arbres et disait: «Pluie, pluie, va-t'en, et reviens dans très longtemps.»

La pluie s'en fichait. Ramona, qui ne pouvait pas porter ses sandales par un temps pareil, devait mettre des chaussures à lacets et une paire de vieilles bottes de Beezus pour aller à l'école, parce que ses bottes rouges à elle étaient devenues trop petites depuis l'été. Jour après jour, Mme Griggs portait le même pull, couleur soupe de pois cassés. Ramona n'aimait pas la soupe de pois cassés. Ramona n'était jamais désignée pour mener le salut au drapeau ni comme responsable des ciseaux. Calcul, lecture, sandwiches au saucisson et biscuits au chocolat du commerce comme déjeuner trois fois par semaine : ainsi passait la vie.

Un jour, le livre de lecture montrait l'image d'un fauteuil recouvert d'une housse toute froissée. Sous l'image on lisait deux phrases : «C'est pour Pal.» «Ce n'est pas pour Pal.» Ramona entoura «C'est pour Pal», parce qu'elle décida que la mère de Tom et Becky avait mis une housse au fauteuil pour que Pal puisse s'y installer sans le salir. Mme Griggs s'approcha et barra d'un gros trait rouge sa réponse. «Relis bien la question, Ramona», conseilla-t-elle, et Ramona trouva ça injuste. Elle avait lu chaque mot.

Ramona redoutait l'école parce qu'elle avait l'impression que Mme Griggs ne l'aimait pas, et qu'elle détestait passer toute la journée dans une pièce avec quelqu'un qui ne l'aimait pas, surtout si cette personne commandait.

Les journées de Ramona étaient pénibles, mais ses nuits étaient pires. Dès huit heures du soir elle se tenait très, très sage, assise dans un fauteuil dans un coin du salon avec sur ses genoux un livre ouvert, un que Beezus avait lu. Si elle ne bougeait pas, si elle ne faisait pas un bruit, sa mère oublierait peut-être de l'envoyer au lit, et plus que tout au monde Ramona souhaitait ne pas aller au lit. Elle faisait semblant de lire, elle essayait même de lire, mais elle n'arrivait pas à comprendre l'histoire, parce qu'elle devait sauter certains des mots les plus importants. Elle s'ennuyait et elle avait mal partout à force de rester assise sans bouger, mais tout valait mieux que d'aller toute seule dans sa nouvelle chambre. Les soirs où son père sortait jouer au bowling étaient les pires, et ce soir-là en était un.

«Est-ce que ce n'est pas l'heure que Ramona aille se coucher?» demanda Beezus.

Ramona ne se laisserait pas aller à crier: «Tais-toi, Beezus», parce qu'alors elle attirerait l'attention. Elle leva les yeux sur la pendule posée sur le dessus de cheminée. Huit heures seize. Huit heures dix-sept.

Beezus, toujours la «fille à sa maman», alla à la cuisine préparer les sandwiches du déjeuner du lendemain. Ramona, pour son déjeuner, aurait voulu quelque chose en plus de son sandwich au saucisson, mais elle savait que si elle parlait, elle risquait d'être envoyée au lit. Huit heures dix-huit.

«Ramona, tu devrais déjà être couchée», cria Mme Quimby depuis la cuisine. Ramona ne bougea pas. Huit heures dix-neuf. «Ramona!»

«Dès que j'aurai fini ce chapitre.»

«Tout de suite!»

Ce qui marchait pour Beezus ne marchait pas pour Ramona. Elle ferma son livre et longea le couloir jusqu'à la salle de bains, où elle fit couler son bain, se déshabilla, et grimpa dans la baignoire. Elle resta assise là jusqu'à ce que Mme Quimby crie: «Ramona! On ne lambine pas!»

Ramona sortit du bain, s'essuya et enfila son pyjama. Elle se rappela de plonger son gant de toilette dans l'eau du bain et de l'essorer avant de vider la baignoire. Elle se brossa les dents pendant une éternité, jusqu'à ce que sa mère crie à travers la porte: «Ça suffit, Ramona!»

Ramona repartit en courant au salon et attrapa le pauvre Pic-pic qui dormait sans méfiance sur le fauteuil de M. Quimby. «Pic-pic veut dormir avec moi», déclara-t-elle, en traînant le chat en direction de sa chambre. Pic-pic se rebiffa, se débattit et retourna ventre à terre dans le fauteuil, où il commença à lécher son poil sali par les mains de Ramona. Sale vieux Pic-pic.

Ramona aurait voulu un chat doux, confortable, ronronneur, qui se serait pelotonné contre elle et lui aurait donné un sentiment de sécurité. Elle aurait voulu que Pic-pic ressemble plus au Fluff de son livre de lecture. Fluff était toujours d'accord pour courir après une

pelote de fil ou pour se promener dans un lan-
dau de poupée.

«A quelle heure va rentrer Papa?»
demanda Ramona.

«Vers onze heures», répondit sa mère. «Et
maintenant, file.»

Dans des heures et des heures. Ramona
longea le couloir à pas lents et entra dans sa
chambre qui sentait la peinture fraîche. Elle
tira ses rideaux neufs sur «l'œil noir de la
nuit». Elle regarda dans son placard pour s'assurer que la Chose ne s'y cachait pas, puis
referma soigneusement les portes coulissantes.
Elle poussa son lit loin du mur, pour que la
Chose, au cas où elle sortirait de sous les
rideaux et se faufilerait le long du mur, ne
puisse pas la trouver. Elle prit Pandy, son vieux
panda en peluche tout râpé, et le fourra dans
les draps, la tête sur l'oreiller. Ensuite elle se
glissa au lit à côté de Pandy et tira les couvertures jusque sous son menton.

Au bout d'un petit moment, Mme Quimby

vint lui souhaiter bonne nuit. «Pourquoi est-ce que tu éloignes toujours ton lit du mur?» demanda-t-elle, et elle le remit en place.

«Qu'est-ce qu'on fait demain?» demanda Ramona, qui avait honte d'admettre qu'elle avait peur du noir, honte d'avouer à sa mère qu'elle n'était plus son intrépide petite fille, honte de reconnaître qu'elle avait peur de dormir seule dans la chambre qu'elle avait tant désirée. Si elle racontait tout ça à sa mère, on lui donnerait sans doute l'ancienne chambre, ce qui reviendrait au même que d'admettre qu'elle n'arrivait pas à devenir une grande.

«On fait comme d'habitude», répondit Mme Quimby. «L'école pour toi et Beezus, le bureau pour Papa et moi.»

Ramona espérait retenir un peu sa mère. «Maman, pourquoi est-ce que Pic-pic ne m'aime pas?»

«Parce qu'il est devenu grognon avec l'âge, et parce que tu étais brutale avec lui quand tu étais petite. Maintenant dors.»

Mme Quimby embrassa Ramona et coupa la lumière.

«Maman?»

«Oui, Ramona?»

«J'ai… j'ai oublié ce que je voulais dire.»

«Bonne nuit, ma chérie.»

«Maman, embrasse aussi Pandy.»

Mme Quimby obéit. «Maintenant assez gagné de temps.»

Ramona fut laissée seule dans le noir. Elle récita ses prières et puis les répéta, au cas où le Bon Dieu n'aurait pas écouté la première fois.

«Je vais penser à des choses agréables», décida Ramona, et malgré ses ennuis, les choses agréables ne manquaient pas. Après que Ramona eut dû faire ses excuses à Susan, certains élèves de la salle un s'étaient montrés particulièrement gentils avec elle, estimant sans doute que Mme Griggs n'aurait pas dû l'obliger à des excuses publiques si humiliantes.

Howie avait rapporté quelques briques,

pour qu'ils puissent jouer à la Fabrique de Briques, au cas où la pluie aurait bien voulu cesser. Linda, dont la mère faisait des biscuits meilleurs que ceux de n'importe quelle autre mère de la salle un, partagea des biscuits noisette-caramel avec Ramona. Même petit Davy, qui d'habitude évitait Ramona parce qu'elle avait essayé de l'embrasser à la maternelle, la désignait quand la classe jouait à des jeux. Mieux encore, Ramona apprenait vraiment à lire. Des mots jaillissaient des journaux, des pancartes et des boîtes. *Accident, autoroute, sel, pneus.* Le monde était tout à coup plein de mots que Ramona savait lire.

Ramona était arrivée au bout de ses pensées agréables. Elle entendit Beezus prendre son bain, se mettre au lit, et éteindre la lumière. Elle entendit sa mère mettre la table du petit déjeuner, enfermer Pic-pic au sous-sol, et aller au lit. Si seulement son père avait pu rentrer à la maison !

Ramona savait qu'elle pouvait tricher en

allant aux toilettes au moins une fois. Elle se mit debout sur son lit, et, bravant le danger, d'un grand bond elle sauta jusqu'au milieu de la chambre et courut dans le couloir avant que la Chose qui se cachait sous le lit puisse l'attraper par les chevilles. Au retour, elle reprit son élan du même endroit et atterrit sur son lit, dont elle remonta à toute vitesse les couvertures sous son menton.

Le moment tant redouté arriva, où il n'y eut plus personne de réveillé pour la protéger en cas de besoin. Ramona essaya de se faire aussi plate et immobile qu'une poupée en papier : ainsi la Chose, se glissant sous les rideaux et se faufilant le long des murs, ne la remarquerait pas. Elle garda les yeux grands ouverts. Elle avait hâte que son père rentre ; elle l'attendrait jusqu'au matin.

Ramona pensa à Beezus, dormant paisiblement dans l'obscurité accueillante de la chambre qu'elles partageaient autrefois. Elle se rappela comme elles chuchotaient et rica-

naient et parfois se faisaient peur mutuelle-
ment. Même leurs disputes valaient mieux que
d'être seule dans le noir. Elle mourait d'envie
de bouger, de détendre ses muscles raidis par
l'immobilité forcée, mais elle n'osait pas. Elle
pensa au gorille noir et à ses petits yeux
féroces dans le livre posé sur l'étagère de sa
bibliothèque, et essaya de chasser cette vision
de son esprit. Elle écouta les voitures passer
sur la chaussée mouillée et tendit l'oreille, à
l'affût du bruit d'un moteur familier. Après
ce qu'il lui sembla des heures, Ramona entendit
enfin la voiture des Quimby arriver dans l'allée. Soulagée, elle se décrispa totalement. Elle
entendit son père tourner la clef dans la porte
de derrière et entrer, s'arrêter devant le
thermostat pour couper la chaudière, éteindre
la lumière du salon et longer le couloir sur la
pointe des pieds.

«Papa!» chuchota Ramona.

Son père s'arrêta sur le pas de sa porte.
«Comment, tu ne dors pas?»

«Viens rien qu'une seconde.» M. Quimby entra dans la chambre. «Papa, allume la lumière une minute. S'il te plaît.»

«Il est tard.» M. Quimby obéit.

La lumière fit grimacer Ramona mais la réconforta. Elle leva une main pour se protéger les yeux. Elle était si heureuse de voir son père debout devant elle en tenue de bowling. Il était si beau, et sa présence était si familière, elle se sentait tellement en sécurité avec lui! «Papa, tu vois ce gros livre dans ma bibliothèque?»

«Oui.»

«Sors-le de ma chambre», continua Ramona. En son for intérieur, elle pensa: S'il te plaît, Papa, ne me demande pas pourquoi. Elle ajouta, pour éviter toute question: «C'est un bon livre. Je pense qu'il devrait te plaire.»

M. Quimby tira le livre de la bibliothèque, y jeta un coup d'œil, et puis se pencha et embrassa Ramona sur le front. «Fini de gagner du temps, jeune fille», déclara-t-il. «Norma-

lement tu devrais dormir depuis des heures.»
Il éteignit et partit, emportant *Les Animaux sauvages d'Afrique* avec lui et laissant Ramona seule dans le noir s'inquiéter des bruits mystérieux que faisait une vieille maison qu'on laisse se refroidir pour la nuit. Elle se demanda combien il restait des six mois avant qu'elle puisse retourner dans son ancienne chambre. Elle resta allongée, toujours aussi plate et immobile qu'une poupée de papier, et écouta son père s'asperger sous la douche. Ramona devait se forcer à garder les yeux ouverts. Son père se mit au lit. Ses parents chuchotèrent, ils devaient parler d'elle, et dire: «Qu'allons-nous faire de Ramona, qui s'attire toujours des ennuis! Même sa maîtresse ne l'aime pas.» Tout le monde dormait sauf Ramona, dont les paupières devenaient lourdes, de plus en plus lourdes. Elle avait peur du noir, mais elle n'abandonnerait pas sa nouvelle chambre. Il n'y a que les bébés qui ont peur de dormir tout seuls.

Le lendemain matin, comme Ramona sortait ses sandwiches du réfrigérateur et les mettait dans sa boîte, Mme Quimby lui demanda : « Tu n'as pas mal à la gorge ? »

« Non », répondit Ramona, de mauvaise humeur.

« Il y a plein de maux de gorge, en ce moment », remarqua Mme Quimby. Depuis qu'elle travaillait dans le cabinet du pédiatre, elle guettait des symptômes chez ses filles. La semaine précédente, c'étaient les boutons de varicelle, et la semaine d'avant, les ganglions et le cou enflé.

« Maman, j'ai fait un cauchemar, cette nuit. »

« De quoi as-tu rêvé ? »

« La Chose me poursuivait, et je n'arrivais pas à courir. » Le rêve était encore présent à l'esprit de Ramona. Elle se trouvait au coin de la maison, là où avant poussaient les zinnias. Elle savait qu'une chose horrible allait tourner le coin de la maison pour l'attraper. Elle restait plantée là, comme prise par les glaces, incapable de décoller les pieds de l'herbe. Ç'avait été un rêve terrifiant, dans lequel, pourtant, la cour était claire et baignée de soleil, l'herbe verte et les zinnias roses, orange et rouges, éclatants de couleur, si réels que Ramona avait eu l'impression de pouvoir les toucher.

Beezus rinçait son bol sous le robinet, ses céréales avalées. «Berk, ce sale rêve-là», remarqua-t-elle. «Je l'ai fait plusieurs fois, et il est atroce.»

«C'est pas vrai!» Ramona était scandalisée. Son rêve était à elle, et non un truc qui lui venait de Beezus, comme une vieille robe ou une paire de vieilles bottes de pluie. «Tu inventes.»

«Si, c'est vrai.» Beezus chassa le rêve avec un haussement d'épaules comme s'il était sans importance. «Tout le monde le fait, ce rêve.»

«Ramona, tu es sûre que tu te sens bien?» insista Mme Quimby. «Tu m'as l'air un peu grognon, ce matin.»

Ramona se renfrogna. «Je ne suis pas grognon.»

«Un autre rêve que je n'aime pas», déclara Beezus, «c'est celui où je suis en petite culotte dans le couloir de l'école et où tout le monde me regarde. Celui-là, c'est le pire.»

Ça aussi, c'était un rêve que Ramona connaissait bien, mais elle ne l'avouerait pas. Beezus n'avait pas besoin de savoir qu'elle rêvait tous les rêves la première.

Mme Quimby considéra Ramona, qui restait plantée devant le réfrigérateur, sa boîte à sandwiches à la main. Elle posa une main sur le front de sa fille.

Ramona se dégagea d'une secousse. «Je n'ai pas de fièvre, et je ne suis pas grognon», assura-t-elle et, furieuse, elle partit pour une nouvelle journée en salle un.

Quand Ramona arriva à l'école Glenwood, elle entra en traînant les pieds dans le bâtiment où elle se blottit au pied de l'escalier qui menait aux grandes classes. Elle se demanda comment

ça serait de passer ses journées dans une des classes du premier. Tout valait mieux que le CP. Et si je n'allais pas en salle un ? songea-t-elle. Et si je me cachais dans les toilettes des filles jusqu'à la fin de l'école ? Avant qu'elle ait trouvé la réponse à sa question, M. Cardoza arriva à grandes enjambées du fond du couloir. Il s'arrêta pile devant Ramona.

M. Cardoza était un homme grand et mince avec des cheveux et des yeux noirs, et il donna à Ramona, assise là au pied de l'escalier, l'impression qu'elle était toute petite. M. Cardoza fronça les sourcils et laissa tomber les coins de sa bouche d'une façon qui laissa comprendre à Ramona qu'il se moquait de sa mine maussade. Tout à coup il sourit et la montra du doigt comme s'il venait de faire une découverte formidable.

Surprise, Ramona recula.

«Je sais qui tu es!» s'écria M. Cardoza, comme si identifier Ramona était l'événement le plus important de l'histoire du monde.

«Ah oui?» Ramona en oublia de rester maussade.

«Tu es Ramona Quimby. Connue également sous le nom de Ramona Q.»

Ramona était abasourdie. Elle s'était attendue à ce qu'il lui dise, s'il savait un tant soit peu qui elle était, qu'elle était la petite sœur de Béatrice. «Comment le savez-vous?» demanda-t-elle.

«Oh, je suis bien informé», répondit-il et,

en sifflant doucement entre ses dents, il commença à monter l'escalier.

Ramona le regarda grimper les marches deux à la fois avec ses longues jambes, et tout à coup elle se sentit plus gaie, assez gaie pour affronter la salle un encore une fois. Un maître d'école des grandes classes connaissait le nom d'une petite du CP. Peut-être qu'un jour M. Cardoza serait aussi son maître d'école.

CHAPITRE HUIT
Ramona dit un gros mot

PLUS RAMONA prenait l'école en grippe, plus Beezus s'enthousiasmait pour elle, ou du moins en donnait l'impression à Ramona. M. Cardoza avait demandé à ses élèves d'illustrer leur dictée, et devinez! C'était facile. Beezus, qui avait toujours du mal à dessiner quoi que ce fût, faute d'imagination, n'eut aucun problème pour dessiner des images de *fantôme* et de *linge*.

Un jour Beezus rentra à la maison en brandissant une copie, la mine particulièrement réjouie. En expression écrite, M. Cardoza avait demandé à sa classe de trouver cinq exemples de chacun d'une série de mots différents. Pour *agréable* Beezus avait inscrit *les pique-niques, notre salle de classe, M. Cardoza, lire,* et *l'école.* En corrigeant sa copie, M. Cardoza avait écrit «Merci» en face de son nom. Pour s'amuser, Beezus avait aussi cité son nom en exemple sous *effrayant,* et le commentaire au stylo rouge était: «Tiens donc!» Beezus avait eu un «A» à son devoir. Rien d'aussi agréable n'arrivait jamais à Ramona, qui passait ses journées à entourer des phrases dans des cahiers d'exercices, à changer la première lettre de certains mots pour former d'autres mots, et à essayer d'aider Davy quand elle le pouvait, même s'il n'était pas dans son groupe de lecture.

Et puis, un après-midi, Mme Griggs tendit à chaque élève de la salle un une longue enveloppe cachetée. «Ce sont vos bulletins, que vous devez emporter chez vous pour les montrer à vos parents», annonça-t-elle.

Ramona résolut sur-le-champ de ne pas montrer l'ombre d'un bulletin scolaire à son père et sa mère, si elle pouvait éviter de le faire. Aussitôt arrivée à la maison, elle cacha son enveloppe au fond d'un tiroir sous ses vêtements d'été. Puis elle sortit du papier et ses crayons-pastels et se mit à travailler sur la table de la cuisine. Sur chaque feuille de papier elle dessina au crayon-pastel noir une jolie silhouette d'animal : une souris sur une feuille, un ours sur une autre, une tortue sur une troisième. Ramona adorait dessiner, et dessiner lui faisait oublier ses ennuis. Quand elle eut rempli dix pages de silhouettes d'animaux, elle dénicha l'agrafeuse de son père et réunit les feuilles pour confectionner un livre. Ramona savait fabriquer une multitude de choses avec du papier, des crayons-pastels, des agrafes et du Scotch, par exemple, des ailes d'abeilles à porter en bracelet, des couronnes, un masque de joueur de base-ball.

«Qu'est-ce que tu fais ?» demanda sa mère.

«Un album de coloriage», répondit Ramona, «puisque toi, tu ne veux pas m'en acheter un.»

«C'est parce que le professeur de travaux artistiques qui a parlé à l'Association des parents-professeurs nous a signalé que les albums de coloriage ne sont pas créatifs. Elle a dit que les enfants doivent être libres de dessiner leurs sujets tout seuls.»

«C'est ce que je fais», protesta Ramona. «Je dessine un album de coloriage. Howie a un album de coloriage, et moi aussi j'en veux un.»

«J'imagine que la mère d'Howie a manqué cette réunion.» Mme Quimby prit l'album de coloriage de Ramona et l'examina. «Dis donc, Ramona», s'écria-t-elle, l'air ravi, «tu dois tenir de ton père. Tu dessines exceptionnellement bien pour une fille de ton âge.»

«Je sais.» Ramona ne se vantait pas. Elle était sincère. Elle savait que ses dessins valaient mieux que la plupart des gribouillages de bébé exécutés en salle un.

Son écriture aussi. Elle se mit au travail pour colorier sa tortue en vert et sa souris en marron. Remplir les contours n'était pas très intéressant, mais c'était apaisant. Ramona était si occupée qu'arrivée l'heure du dîner elle avait oublié son bulletin caché dans le tiroir.

Elle ne s'en souvint que lorsque Beezus déposa sa longue enveloppe blanche sur la table, une fois terminé le dessert de pêches au sirop en boîte et de macarons du commerce, en annonçant : « M. Cardoza nous a donné nos bulletins. »

Mme Quimby déchira l'enveloppe et tira la feuille de papier jaune. « M-m-m. Très bien, Beezus. Je suis fière de toi. »

« Qu'est-ce qu'il a dit ? » demanda Beezus. Ramona voyait bien que Beezus était impatiente de faire entendre à toute la famille les amabilités que M. Cardoza pensait d'elle.

« Il dit : *Béatrice a fait de gros progrès en maths. C'est une élève consciencieuse et pleine de bonne volonté, qui s'entend bien avec ses camarades. C'est un plaisir de l'avoir en classe.* »

« Est-ce que je peux sortir de table ? » demanda Ramona, qui se leva sans attendre la réponse.

«Une minute, jeune fille», lança M. Quimby.

«Oui, et ton bulletin scolaire à toi?» demanda Mme Quimby.

«Oh… ce sale truc», grogna Ramona.

«Oui, ce sale truc.» M. Quimby avait l'air amusé, ce qui agaça Ramona. «Apporte-le ici», demanda-t-il.

Ramona fit face à son père. «Je ne veux pas.»

M. Quimby ne dit rien. Toute la famille restait silencieuse, à attendre, même Pic-pic, qui se lavait le museau et s'arrêta, une patte en l'air. Ramona tourna les talons, sortit à pas lents et revint à pas lents avec l'enveloppe. Le visage renfrogné, elle la fourra entre les mains de son père qui l'ouvrit.

«Est-ce que Beezus doit vraiment entendre?» demanda Ramona.

«Beezus, tu peux sortir», dit Mme Quimby. «File faire tes devoirs.»

Ramona savait que Beezus n'était pas du

tout pressée de filer faire ses devoirs. Beezus allait écouter, voilà ce qu'elle allait faire, Beezus. Ramona se renfrogna encore plus tandis que son père extirpait de l'enveloppe la feuille de papier jaune.

«Si tu ne cesses pas cette grimace, tu resteras toujours comme ça», assura M. Quimby, ce qui n'arrangea rien.

Il examina le papier jaune et fronça les sourcils. Il le tendit à Mme Quimby, qui le lut et fronça les sourcils.

«Alors», s'écria Ramona, incapable de supporter le suspense, «qu'est-ce que ça dit ?» Elle l'aurait bien attrapé pour essayer de le lire toute seule, mais elle savait que c'était écrit en minuscules.

Mme Quimby lut : «*Ramona fait preuve d'un excellent vouloir dans l'apprentissage de l'écriture, et développe de bonnes capacités pour l'attaque des mots…*»

Ramona se détendit. Ça n'avait pas l'air si désastreux, quoiqu'elle n'eût jamais pensé que la lecture consistait à attaquer les mots, idée qui lui plaisait pourtant assez.

Mme Quimby poursuivit sa lecture. «*Elle apprend à compter avec facilité…*»

Compter les moufles, songea Ramona avec mépris.

«*Cependant, Ramona montre parfois plus d'intérêt pour le travail assis des autres que pour le sien. Elle a besoin d'apprendre à se concentrer. Elle a également besoin d'améliorer sa conduite en classe.*»

«C'est pas vrai!» Ramona était furieuse de l'injustice des appréciations de sa maîtresse.

A quoi travaillait-elle, d'après Mme Griggs? Elle ne levait presque plus jamais la main, et elle ne prenait plus la parole comme avant. Et elle ne s'intéressait pas vraiment au travail assis de Davy. Elle essayait de l'aider parce qu'il était complètement perdu.

«Ecoute, Ramona.» La voix de Mme Quimby était douce. «Tu dois essayer de devenir une grande.»

Ramona se fâcha. «Mais qu'est-ce que **tu** crois que je fais?»

«Tu n'as pas besoin de crier comme ça», remarqua Mme Quimby.

Evidemment, il avait fallu que Beezus s'en vienne traîner dans les parages, pour voir ce qui provoquait tout ce remue-ménage. «Qu'est-ce qu'elle a dit, Mme Griggs?» voulut-elle savoir, et on voyait bien qu'elle était persuadée que les appréciations de M. Cardoza étaient plus favorables.

«Toi, occupe-toi de tes oignons», gronda Ramona.

«Ramona, ne parle pas comme ça», dit M. Quimby sans élever la voix.

«Y a *intérêt* que je vais parler comme ça», s'écria Ramona. «Je parlerai comme je veux!»

«Ramona!» La voix de M. Quimby, toujours douce, se faisait menaçante.

Ramona le défia. «Je m'en fiche!» De toute façon ça ne pouvait pas être pire. Elle pouvait aussi bien dire tout ce qui lui plaisait.

« Écoute, jeune fille… » commença M. Quimby.

Ramona en avait assez supporté. Elle était malheureuse depuis le début du CP, et ce qui pouvait arriver lui était bien égal. Elle voulait faire quelque chose de mal. Elle voulait faire quelque chose d'horrible qui choquerait toute sa famille, quelque chose qui les obligerait à s'asseoir et à réfléchir sur son cas. « Je vais dire un gros mot!» hurla-t-elle en tapant du pied.

Cette déclaration fit taire la famille. Pic-pic arrêta de se lécher et quitta la pièce. M. Quimby parut étonné et – quelle insolence! – un peu amusé. Beezus présentait un visage empreint d'intérêt et de curiosité. Au bout d'un moment, Mme Quimby suggéra d'un ton calme: «Vas-y, Ramona. Dis-le, ton gros mot, si tu dois te sentir mieux après.»

Ramona serra les poings et prit sa respiration. «Culot!» brailla-t-elle. «*Culot! Culot! Culot!*» Voilà. C'était bien fait pour eux.

Malheureusement, la famille de Ramona ne fut ni choquée ni horrifiée comme Ramona s'y était attendue. Ils rirent. Tous trois éclatèrent de rire. Ils essayèrent de se retenir, mais ils ne le purent.

«Ce n'est pas drôle!» hurla Ramona. «Vous n'avez pas intérêt à vous moquer de moi!» Elle fondit en larmes et se jeta à plat ventre sur le divan, bourrant les coussins de coups de pied et de coups de poing. Tout le monde était contre elle. Personne ne l'aimait. Même le chat ne l'aimait pas. Un silence de mort s'abattit sur la pièce, et Ramona eut la satisfaction de constater qu'au moins son combat contre les coussins avait fait taire les rires. Elle entendit cette sale petite raisonnable de Beezus partir dans sa chambre pour faire ses sales et raisonnables petits devoirs. Ses parents restèrent assis en silence, mais Ramona se fichait bien maintenant de ce que faisaient les autres. Elle pleura plus fort qu'elle n'avait jamais pleuré de sa vie, et elle pleura jusqu'à ce qu'elle soit toute raplapla et épuisée.

Et puis Ramona sentit la main de sa mère sur son dos. «Ramona», demanda sa voix douce, «qu'allons-nous faire de toi?»

Les yeux rouges, le visage enflé et le nez coulant, Ramona s'assit et jeta un regard furieux à sa mère. «Aime-moi!» Son ton était violent et douloureux. Choquée par ses propres mots, elle enfouit son visage dans le coussin. Il ne lui restait plus une seule larme.

«Mon petit cœur», souffla Mme Quimby. «Nous t'aimons.»

Ramona se redressa face à sa mère, qui semblait tout à coup fatiguée, comme si elle avait eu à endurer des tas de scènes de Ramona et qu'elle avait su que celle-là était loin d'être la dernière. «C'est pas vrai. Tu aimes Beezus.» Voilà. Elle l'avait dit tout haut. Depuis des années elle avait voulu que ses parents sachent ce qu'elle ressentait.

M. Quimby essuya le nez de Ramona avec un Kleenex, qu'après il lui tendit. Elle le serra dans son poing et fusilla ses parents du regard.

«Bien sûr que nous aimons Beezus», admit Mme Quimby. «Nous vous aimons toutes les deux.»

«Vous l'aimez plus que moi», protesta Ramona. «Beaucoup plus.» Elle se sentit mieux d'avoir prononcé ces mots, de s'être ôté ce poids de la poitrine, comme auraient dit les grandes personnes.

«L'amour, ça n'a pas de fond, ce n'est pas

comme un pot de miel», assura Mme Quimby. «Il y en a assez pour tout le monde. Qu'on aime Beezus ne veut pas dire qu'il ne nous reste plus assez d'amour pour toi.»

«Oui, mais vous ne vous moquez pas tout le temps de Beezus», souligna Ramona.

«Ils se moquaient de moi, avant», corrigea Beezus, qui était incapable de rester en dehors de cette discussion familiale. «Ils se moquaient toujours des trucs drôles que je faisais, et ça me rendait furieuse.»

Ramona renifla et attendit que Beezus poursuive.

Beezus était sérieuse. «Comme la fois où j'avais à peu près ton âge, et où je croyais que l'encens et la myrrhe étaient un truc que les Rois mages apportaient à l'enfant Jésus pour mettre sur ses rougeurs comme la pommade que Maman te mettait quand tu étais bébé. Maman et Papa ont ri, et Maman l'a raconté à toutes ses amies, et elles ont ri aussi.»

«Oh, ma chérie», s'écria Mme Quimby. «Je

ne me rendais pas compte que ça t'avait contrariée à ce point.»

«Eh bien, si», dit Beezus, encore dépitée par cette histoire. «Et il y a eu aussi la fois où je croyais que l'eau de toilette était de l'eau des toilettes. Un peu plus et tu te roulais par terre de rire.»

«Ecoute, tu exagères», protesta Mme Quimby.

Réconfortée par ce soutien inattendu de la part de sa sœur, Ramona se frotta le visage avec son Kleenex détrempé. «Maman, si tu m'aimes vraiment, pourquoi est-ce que je dois aller à l'école?»

En même temps elle se demandait comment découvrir ce qu'étaient l'encens et la myrrhe sans que personne se doute de son ignorance. Elle avait toujours vaguement cru que c'était un truc très cher comme le parfum et le whisky, emballé dans un super paquet-cadeau de Noël.

«Ramona, tout le monde doit aller à

l'école», répondit Mme Quimby. «Ça n'a rien à voir avec le fait de t'aimer.»

«Alors pourquoi est-ce que je ne peux pas aller dans l'autre CP, celui de la salle deux? Mme Griggs ne m'aime pas.»

«Je t'assure qu'elle t'aime.»

«Non, c'est pas vrai», soutint Ramona. «Si elle m'aimait, elle ne m'aurait pas obligée à dire à Susan devant toute la classe que je regrette d'avoir écrabouillé son hibou, et elle me demanderait de mener le salut au drapeau. Et elle ne raconterait pas de méchancetés sur moi dans mon bulletin scolaire.»

«Je vous ai dit que Mme Griggs adorait les excuses», rappela Beezus à sa famille. «Et elle finira par demander à Ramona de mener le salut au drapeau. Elle le demande à tout le monde.»

«Beezus, toi, tu t'entendais bien avec Mme Griggs quand tu étais dans sa classe», remarqua Mme Quimby.

«Je crois que oui», admit Beezus. «Mais

ce n'était pas ma maîtresse préférée.»

«Qu'est-ce qu'elle avait de désagréable?» demanda Mme Quimby.

«Elle n'avait rien de vraiment désagréable, je crois», répondit Beezus. «Elle n'était pas très amusante, c'est tout. Elle n'était ni méchante ni rien de tout ça. Mais on travaillait, et puis voilà tout.»

«Etait-elle injuste?» demanda Mme Quimby.

Beezus réfléchit à la question. «Non, mais j'étais le genre d'enfant qu'elle appréciait. Tu sais... soigneuse et sérieuse.»

«Je parie que tu n'as jamais gâché de colle», intervint Ramona, quoiqu'elle ne fût pas une gâcheuse de colle non plus: trop de colle risquait toujours d'abîmer un travail manuel.

«Non», admit Beezus. «Ce n'était pas mon genre.»

Ramona insista. «*Pourquoi* est-ce que je ne peux pas passer en salle deux?»

M. Quimby prit le relais. «Parce que Mme Griggs t'apprend à lire et à calculer, et parce que ce qu'elle a dit sur toi est juste. Il faut vraiment que tu apprennes à te discipliner et à te concentrer. Il y a toutes sortes de maîtresses dans le monde comme il y a toutes sortes de gens, et tu dois apprendre à t'entendre avec eux. Peut-être que Mme Griggs ne te comprend pas très bien, mais tu n'es pas toujours si facile à comprendre. Y as-tu jamais pensé?»

«S'il te plaît, Papa», supplia Ramona. «S'il te plaît, ne m'oblige pas à retourner en salle un.»

«Secoue-toi, Ramona», conseilla M. Quimby. «Prouve-nous que tu es gonflée.»

Ramona se sentait trop épuisée pour prouver à qui que ce soit qu'elle était gonflée, mais le ton ferme de son père lui remonta le moral. S'il avait dit: «Pauvre petite», elle aurait eu envie de se remettre à pleurer. Mme Quimby la fit sortir de la pièce et, la dispensant de bain, l'aida à se mettre au lit. Avant qu'on éteigne la lumière, Ramona remarqua que *Les Animaux sauvages d'Afrique* avaient été replacés dans la bibliothèque.

«Reste avec moi, Maman», demanda-t-elle d'un ton câlin, parce qu'elle redoutait la solitude, l'obscurité et le gorille du livre. Mme Quimby éteignit la lumière et s'assit sur le lit.

«Maman?»

«Oui, Ramona?»

«*Culot,* ce n'est pas un gros mot?»

Mme Quimby réfléchit un instant. «Je ne dirais pas que c'est vraiment un gros mot. Ce n'est pas le plus joli mot du monde, mais il y a des mots bien pires. Et maintenant dors.»

Ramona se demanda ce qui pouvait être pire que «culot».

Dans la cuisine, M. Quimby ramassait bruyamment les assiettes en chantant. «Oh, ma gamine, ma gamine, qu'elle est gonflée ma gamine! Du matin au soir elle chante tradéridéra!»

Ramona se sentait toujours en sécurité quand son père était réveillé. La peur de la Chose revenait quand il allait se coucher et que la maison était toute noire. Inutile de se transformer en poupée de papier pour un bon moment. Pleurer l'avait laissée épuisée et raplapla, mais quand même elle se sentait mieux, plus en paix avec elle-même, comme si les ennuis et les remords avaient été dilués par les larmes. Elle savait que son père chantait une chanson sur elle, et malgré ses ennuis Ramona trouvait du réconfort à être la gamine gonflée de son père. Du coup, la Chose semblait moins effrayante.

Epuisée comme elle l'était par la colère et les larmes, Ramona affronta la vérité. Elle ne pouvait pas continuer à avoir peur du noir. Elle était trop fatiguée pour continuer à être effrayée et à ne pas dormir. Elle ne pouvait pas continuer à craindre les ombres et les revenants et les drôles de petits bruits. Elle sortit courageusement de son lit et, dans la pâle lumière du couloir, tira le grand livre plat de sa bibliothèque. Elle le porta au salon et le fourra sous un coussin. Ses parents, qui s'activaient à laver la vaisselle du soir dans la cuisine, ne se doutaient pas qu'elle était debout. Elle retourna dans sa chambre, grimpa dans son lit et remonta les couvertures. Rien ne l'avait attrapée par les chevilles. Rien ne se glissait sous les rideaux pour lui faire du mal. Rien ne l'avait pourchassée. Elle était en sécurité. Pleine de reconnaissance, Ramona récita ses prières et, épuisée, s'endormit.

CHAPITRE NEUF
La gamine gonflée de M. Quimby

PLEINE D'ÉNERGIE et de courage, Ramona partit pour l'école, sa boîte à sandwiches à la main. Elle était résolue à ce que cette journée tranche sur les autres. Elle en ferait une journée différente. Elle était la gamine gonflée de son père, non ? Elle virevolta pour le plaisir de faire bouffer sa jupe plissée sous son manteau trois-quarts.

Ramona se sentait si gonflée qu'elle décida d'aller à l'école par un autre chemin, par la rue d'à côté, un truc qu'elle avait toujours eu envie de faire et qui ne rallongeait pas pour aller à l'école Glenwood. Il n'y avait pas de raison qu'elle n'aille pas à l'école par n'importe quel chemin qui lui plaisait pourvu qu'elle regarde bien de chaque côté avant de traverser et ne parle pas aux inconnus.

Ce lambin d'Howie, cinquante mètres en arrière, cria quand il la vit tourner le coin: «Ramona, où est-ce que tu vas?»

«Je vais à l'école par un autre chemin», lui cria Ramona, certaine qu'Howie ne la suivrait pas et ne gâcherait pas sa sensation d'aventure. Howie n'était pas le genre de garçon à changer ses habitudes.

Ramona descendit joyeusement la rue en sautant à cloche-pied, et en se chantant: «Une deux trois, je m'en vais au bois. Quatre cinq six, cueillir des cerises. Sept huit neuf, dans mon panier neuf. Dix onze douze, elles seront toutes rouges.» Au-dessus de sa tête, à travers les branches, le ciel était clair. L'air était vif, et les pieds de Ramona dans ses chaussures à lacets marron étaient tout légers. Les vieilles bottes de Beezus, qui si souvent l'alourdissaient, étaient à la maison dans le placard du couloir. Ramona était heureuse. La journée s'annonçait déjà différente.

Ramona tourna le second coin de rue, et

tandis qu'elle descendait à cloche-pied la rue inconnue et passait devant trois maisons blanches et une à façade en stuc ocre, elle ressentit une délicieuse sensation de liberté et d'aventure. Mais vers le milieu du pâté de maisons, quand elle passa devant un pavillon de bardeaux gris, un gros berger allemand, ses médailles cliquetant à son cou, se précipita sur elle, arrivant du bout de l'allée au grand galop. Terrifiée, Ramona resta les pieds enracinés dans le trottoir. Elle eut l'impression que son cauchemar se réalisait. L'herbe était verte, le ciel était bleu. Elle ne pouvait pas bouger ; elle ne pouvait pas crier.

Le chien, la gueule en avant, s'approcha et la flaira de son nez tout noir. Il avait trouvé une inconnue. Il grogna. Ceci était son territoire, et il ne voulait pas qu'un étranger s'y introduise.

Ce n'est pas un rêve, se dit Ramona. C'est vrai. Mes pieds vont bouger si je les y oblige. «Va-t'en !» cria-t-elle en s'éloignant à reculons du chien, qui répondit par un aboiement méchant. Il avait des crocs comme le loup dans *Le Petit Chaperon rouge*. «Oh, Grand-mère, comme vous avez de grandes dents! – C'est pour mieux te manger, mon enfant.» Ramona recula encore d'un pas. En grondant, le chien avança. C'était un chien, pas un loup, mais c'était déjà assez horrible comme ça.

Ramona utilisa la seule arme qu'elle avait sous la main – sa boîte à sandwiches. Elle lança sa boîte sur le chien et rata sa cible. La boîte s'écrasa sur le trottoir, roula et s'immobilisa. Le chien s'arrêta pour la renifler. Ramona obligea ses pieds à bouger, à courir. Ses chaussures martelaient le trottoir. Un lacet se dénoua et se mit à lui fouetter la cheville. Elle lança des regards affolés à une voiture qui passait, mais le conducteur ne remarqua pas sa situation désespérée.

Ramona jeta un regard par-dessus son épaule. Le chien s'était désintéressé de la boîte à sandwiches fermée et s'était lancé à sa poursuite. Elle entendait ses griffes sur le trottoir et ses grondements. Il fallait qu'elle fasse quelque chose, mais quoi?

Le sang de Ramona lui battait aux oreilles quand elle s'arrêta pour s'emparer de la seule arme qui lui restait – sa chaussure. Elle n'avait pas le choix. Elle tira brutalement sur sa chaussure à lacets marron et la jeta de toutes ses forces sur le chien. Elle rata encore sa cible. Le chien s'arrêta, flaira la chaussure, et, à la grande horreur de Ramona, la ramassa et repartit en trottinant là d'où il était venu.

Ramona restait frappée d'horreur, le froid du trottoir s'infiltrant dans sa chaussette. Et maintenant, que faire? Si elle disait: «Hé! Toi, viens ici!» le chien risquait d'obéir, et elle ne tenait pas à le voir revenir. Elle le regarda, impuissante, regagner sa pelouse, où il s'installa la chaussure entre les pattes, comme un os. Il se mit à la ronger.

«Ma chaussure!» Ramona n'avait aucun moyen de reprendre sa chaussure au chien. Il n'y avait personne aux alentours, à qui elle aurait pu demander de l'aide dans cette rue inconnue. Et sa boîte à sandwiches bleue, cabossée désormais, gisait là-bas, sur le trottoir. Oserait-elle aller la récupérer pendant que le chien était occupé à mâchonner sa chaussure? Elle fit un pas prudent en direction de la boîte à sandwiches. Le chien continua à ronger. Elle fit un autre pas. Je suis vraiment intrépide, se dit-elle. Le chien leva les yeux. Ramona se figea sur place. Le chien se remit à ronger. Elle s'élança comme une flèche, empoigna sa boîte à sandwiches, et courut vers l'école, *clac-plaf, clac-plaf,* sur le ciment froid.

Ramona refusait de pleurer – elle était intrépide, non? – mais elle était préoccupée. Mme Griggs n'aimait pas les retardataires, et Ramona était tout à fait sûre qu'elle tenait à ce que tout le monde, dans sa classe, porte deux chaussures. Ramona se ferait sans doute attraper par Mme Griggs à l'école, puis par sa mère à la maison pour avoir perdu une chaussure destinée à faire encore long usage. Ramona se faisait toujours attraper.

Quand Ramona atteignit l'école Glenwood, la cloche avait sonné et les responsables de la circulation quittaient leurs postes. Les enfants qui se bousculaient pour entrer dans le bâtiment ne remarquèrent pas la situation fâcheuse dans laquelle se trouvait Ramona. Laquelle *clac-plafa* jusqu'à la salle un, où elle se dépêcha de laisser sa boîte à sandwiches et son manteau trois-quarts au vestiaire, avant de s'asseoir à son pupitre, un pied replié sous elle. Elle étala sa jupe plissée pour cacher sa chaussette sale.

Susan s'en aperçut. «Et ton autre chaussure, qu'est-ce qui lui est arrivé?» demanda-t-elle.

«Je l'ai perdue, et tu n'as pas intérêt à me dénoncer!» Si Susan la dénonçait, Ramona aurait une bonne excuse pour tirer sur ses boucles *boïng-boïng*.

«Je ne te dénoncerai pas», promit Susan, ravie de partager un secret, «mais comment tu vas faire pour que Mme Griggs ne se rende compte de rien?»

Ramona jeta un regard désespéré à Susan. «Je ne sais pas», avoua-t-elle.

«Les enfants», lança Mme Griggs d'une voix calme. C'était sa façon de dire: Très bien, tout le monde se tait et on se calme parce que nous avons du travail et que nous n'arriverons à rien si nous perdons du temps à bavarder entre nous.

Ramona essaya de réchauffer son pied glacé en se le frottant à travers sa jupe plissée.

Mme Griggs jeta un regard circulaire sur

la classe. «Qui n'a pas encore eu son tour pour mener le salut au drapeau?» demanda-t-elle.

Ramona contempla son pupitre en essayant de se faire si petite que Mme Griggs ne pourrait pas la voir.

«Ramona, tu n'as pas eu ton tour», déclara Mme Griggs avec un sourire. «Tu peux venir devant la classe.»

Ramona et Susan échangèrent un regard.

Ramona dit: «Et maintenant, qu'est-ce que je vais faire?»

Susan dit: «Je suis désolée pour toi.»

«Ramona, nous t'attendons», annonça Mme Griggs.

Impossible d'y échapper. Ramona glissa au bas de sa chaise, s'avança et se planta face au drapeau, sur un pied, comme une cigogne, pour cacher son absence de chaussure sous sa jupe plissée. «Je fais allégeance…» commença-t-elle, en tanguant.

«Je fais allégeance…» répéta la classe.

Mme Griggs intervint.

«Les deux pieds par terre, Ramona.»

Ramona sentit une vague de défi l'envahir.
Mme Griggs voulait les deux pieds par terre,
eh bien, elle allait poser les deux pieds par
terre.

« …au drapeau», continua-t-elle avec une
telle détermination que Mme Griggs n'eut pas
d'autre occasion de l'interrompre.

Quand Ramona eut terminé, elle regagna
sa place. Voilà, Mme Griggs, pensa-t-elle
remplie d'audace. Qu'est-ce que ça peut faire
que je n'aie qu'une chaussure?

«Ramona, qu'est-il arrivé à ton autre
chaussure?» demanda Mme Griggs.

«Je l'ai perdue», répondit Ramona.

«Raconte-moi ça», dit Mme Griggs.

Ramona n'avait pas envie de raconter. «J'ai
été poursuivie par un…» Elle voulait dire un
gorille, mais après un instant d'hésitation elle
dit: «…par un chien, et j'ai dû lui jeter ma
chaussure à la tête, et il est parti avec.» Elle
s'attendait à ce que la classe éclate de rire, mais

en fait les élèves l'écoutèrent avec attention et sympathie. Ils ne comprenaient pas une histoire de trou dans une maison, mais les gros chiens, ça, ils comprenaient. Eux aussi s'étaient retrouvés face à de gros chiens et avaient eu peur. Ramona se sentit mieux.

«Oh, c'est affreux», reconnut Mme Griggs, ce qui surprit Ramona. Elle n'avait pas pensé que sa maîtresse comprendrait. Mme Griggs poursuivit: «Je vais appeler le bureau de la directrice et demander à la secrétaire de téléphoner à ta mère qu'elle t'apporte une autre paire de chaussures.»

«Ma mère n'est pas à la maison», répondit Ramona. «Elle travaille.»

«Eh bien, ne t'inquiète pas, Ramona», dit Mme Griggs. «Nous avons des bottes sans propriétaire au vestiaire. Tu pourras en emprunter une pour sortir en récréation.»

Ramona connaissait bien ces bottes. Il n'y en avait pas deux qui allaient ensemble et elles étaient toutes d'un marron minable, car personne ne perdrait une botte rouge neuve. S'il y avait une chose que Ramona n'aimait pas, c'était les vieilles bottes marron. Elles étaient vraiment moches. Elle ne pouvait pas courir et jouer au foot avec une chaussure et une botte. Ramona retrouva tout à coup son énergie et son audace. Mme Griggs avait de bonnes intentions, mais elle n'y comprenait rien question bottes. Mlle Binney n'aurait jamais conseillé à Ramona de porter une vieille botte marron, et elle résolut qu'elle ne porterait pas une vieille botte marron!

Dès que Ramona eut pris cette décision, il lui resta à décider ce qu'elle allait faire. Si au moins elle avait eu du papier épais et une agrafeuse, elle se serait fabriqué une pantoufle, une même assez solide pour tenir jusqu'à la maison. Elle se concentra sur les exercices de calcul d'un côté de son cerveau, pendant que, dans son petit coin à elle, tout au fond de sa tête, elle imaginait une pantoufle en papier et réfléchissait au moyen d'en fabriquer une à condition de se procurer une agrafeuse. Une agrafeuse, une agrafeuse… Où pouvoir trouver une agrafeuse? Mme Griggs réclamerait une explication si Ramona demandait à emprunter l'agrafeuse de la salle un. Pour emprunter l'agrafeuse de Mlle Binney, Ramona devrait traverser la cour de récréation jusqu'au bâtiment provisoire, et à coup sûr Mme Griggs la rappellerait. Il devait y avoir une autre solution. Et il y en avait effectivement une, à condition de réussir.

Quand arriva enfin la récréation, Ramona fit bien attention de quitter la salle avec plusieurs autres élèves de sa classe et de se glisser au sous-sol dans les toilettes des filles avant que Mme Griggs lui rappelle de mettre la botte. Elle tira quatre grosses serviettes en papier du distributeur près des lavabos, et en plia trois en deux, obtenant six épaisseurs de gros papier. La quatrième serviette, elle la plia en trois puis encore en trois, ce qui donna également six épaisseurs.

Et maintenant venait la partie cruciale de son plan. Ramona revint dans le couloir, qui était vide parce que les deux classes de CP jouaient dehors dans la cour. Les portes des salles étaient fermées. Personne n'assisterait à l'acte intrépide qu'elle allait commettre. Ramona monta l'escalier jusqu'au premier palier, où elle s'arrêta pour prendre son courage à deux mains. Elle n'était jamais montée dans le couloir du haut toute seule. Les CP s'y aventuraient rarement, sauf accompagnés de leur parents à la soirée Portes ouvertes. Elle se sentit toute petite et effrayée, mais elle se cramponna à son courage, et grimpa à toutes jambes la deuxième volée de marches.

Ramona trouva la salle de M. Cardoza. Elle entrebâilla tout doucement la porte. M. Cardoza disait à sa classe : « Ecrire *secrétaire,* c'est facile. Souvenez-vous que la première partie du mot est *secret* et pensez qu'une *secrétaire* est quelqu'un qui garde des *secrets*. Vous n'écrirez plus jamais le mot avec un *a* au lieu d'un *e.* »

MR.CARDOZA

Ramona ouvrit la porte un peu plus grand et jeta un coup d'œil à l'intérieur. Comme ils avaient l'air grands, les pupitres, à côté du sien, en bas dans la salle un ! Elle entendit le bruit d'une roue qui tournait dans une cage à souris.

M. Cardoza s'approcha, ouvrit la porte plus grand et dit : « Bonjour, Ramona Q. En quoi pouvons-nous t'être utiles ? »

Et Ramona était là, perchée sur un pied, essayant de cacher sa chaussette sale derrière sa chaussure, tandis que toute la classe de Beezus, et surtout Beezus, la regardait avec des yeux ronds. A côté de ses camarades de classe, Beezus n'avait pas l'air aussi grande que Ramona l'avait toujours cru. Ramona fut secrètement ravie de découvrir que sa sœur était un peu au-dessous de la taille moyenne. Ramona se demanda comment Beezus raconterait cette scène à la maison. « Maman ! La porte s'est ouverte, et Ramona était là, derrière, avec une seule chaussure ! »

Ramona rassembla toute son assurance. Elle

se souvint des bonnes manières, et demanda : «Est-ce que je peux, s'il vous plaît, vous emprunter votre agrafeuse? Je peux m'en servir juste là dans le couloir, et ça ne prendra qu'une minute.»

Une fois encore elle eut cette étrange impression de se voir agir de l'extérieur. Est-ce qu'elle était une drôle de petite fille dont M. Cardoza allait se moquer? Apparemment non, parce que M. Cardoza n'hésita pas une seconde.

«Mais certainement», répondit-il et il alla à grands pas vers son bureau chercher l'agrafeuse, qu'il revint donner à Ramona sans lui poser une question. Mme Griggs, à sa place, aurait demandé : «Dis-moi pourquoi tu la veux, Ramona.» Mlle Binney aurait demandé : «Ne veux-tu pas que je t'aide?» M. Cardoza referma la porte, laissant Ramona dans la solitude du couloir.

Ramona s'agenouilla au sol et se mit au travail. Elle agrafa les trois serviettes en papier ensemble. La serviette pliée en deux fois trois, elle la plaça à un bout des autres serviettes et l'agrafa sur trois côtés pour former la pointe d'une pantoufle. Elle dût pousser fort des deux mains pour enfoncer les agrafes à travers autant de papier. Et puis elle retourna la pantoufle et posa des agrafes dans l'autre sens pour la renforcer. Voilà. Ramona glissa son pied dans sa pantoufle. Avec plus de temps et une paire de ciseaux, elle aurait pu fabriquer une pantoufle plus jolie avec un bout arrondi, mais cette pantoufle-ci valait mieux qu'une vieille botte, et normalement elle durerait toute la journée, vu la qualité des serviettes en papier de l'école.

Ramona rouvrit la porte et tendit l'agrafeuse à bout de bras. M. Cardoza leva les yeux du livre qu'il tenait à la main et s'approcha pour la lui reprendre. «Merci, M. Cardoza», dit Ramona, parce qu'elle savait qu'il aimait la politesse.

«De rien, Ramona Q.», répondit M. Cardoza avec un sourire qui était un sourire amical, pas un sourire amusé-par-une-drôle-de-petite-fille. «Nous sommes toujours ravis de pouvoir rendre service.»

Ramona ne s'était pas sentie aussi heureuse depuis la maternelle de Mlle Binney. Dommage que Beezus soit la prem' chez M. Cardoza. Ramona aurait pu se marier avec lui un jour, si jamais elle se décidait à se marier. Elle atteignit la salle un à l'instant même où les deux CP rentraient de récréation. Elle entendit quelqu'un de la salle deux remarquer: «Ramona a dû se blesser au pied.»

Quelqu'un d'autre lança: «Je parie que ça fait mal.»

Ramona se mit à boiter. Elle était ravie de l'attention que lui attirait sa pantoufle.

«Oh, te voilà, Ramona», s'écria Mme Griggs, qui était postée devant sa porte pour s'assurer que sa classe entrait dans la salle en bon ordre. «Où étais-tu passée? Tu nous as manqué dans la cour.»

« Je fabriquais une pantoufle. » Ramona leva les yeux vers Mme Griggs. « Je n'avais pas envie de porter une vieille botte sale. » Elle ne s'était pas sentie aussi intrépide depuis le jour où elle était entrée au CP.

« Tu aurais pu demander la permission de rester à l'intérieur pendant la récréation. » Mme Griggs baissa les yeux vers la pantoufle et remarqua, « Tu t'es fait une très belle pantoufle. »

Encouragée par ce compliment, Ramona déclara : « J'aurais pu en fabriquer une plus jolie si j'avais eu des ciseaux et des crayons-pastels. J'aurais dessiné une tête de lapin sur le bout et découpé des oreilles comme pour une vraie pantoufle-lapin. »

Mme Griggs prit un air pensif. Elle semblait étudier Ramona, qui se recroquevilla à l'intérieur d'elle-même, craignant ce que sa maîtresse risquait de dire. Mais Mme Griggs semblait plus fatiguée que fâchée, alors Ramona rassembla son courage et lança : « Je pourrais peut-être terminer ma pantoufle au lieu de faire une dinde de Thanksgiving.»

«Jamais nous ne…» commença Mme Griggs, et puis elle changea d'avis. «Rien ne t'en empêche», admit-elle.

Mme Griggs était d'accord! Ramona sourit de soulagement et fit semblant de boiter jusqu'à sa place pendant que sa maîtresse fermait la porte. Elle n'avait plus à redouter les dindes – ni sa maîtresse.

La classe sortit les livres d'arithmétique. Tandis que Ramona comptait les bottes de cow-boy et les papillons et entourait le bon nombre sous les images, elle s'affairait joyeusement dans le petit coin réservé de sa tête à inventer des améliorations pour sa pantoufle. Elle arrondirait le talon et le bout. Elle dessinerait un nez avec un crayon-pastel rose et des yeux, aussi, et découperait deux oreilles… Les joyeuses pensées de Ramona furent interrompues par une autre pensée moins joyeuse. Sa chaussure marron perdue: qu'en dirait sa mère quand elle rentrerait à la maison ? Traiterait-elle Ramona de négligente, en lui rappelant le prix exorbitant des chaussures de nos jours et en lui demandant pourquoi, mon Dieu, elle n'était pas allée à l'école par le chemin normal ? – Parce que je me sentais pleine d'audace, répondit Ramona dans sa tête. Son père comprendrait. Elle espérait que sa mère comprendrait aussi.

On ramassa les livres. Après venaient les groupes de lecture. Prête à «attaquer les mots», Ramona boita jusqu'à une petite chaise à l'avant de la salle avec le reste de son groupe de lecture.

Elle se sentait tellement mieux disposée à l'égard de Mme Griggs, qu'elle fut la première à lever la main à presque chaque question, et pourtant elle était toujours préoccupée par la perte de sa chaussure. Le livre de lecture était plus intéressant maintenant que son groupe attaquait des mots plus grands. *Voiture de pompiers*. Ramona lut à voix basse et pensa :

Pan ! Je t'ai eue, *voiture de pompiers. Singe.* Pan ! Je t'ai eu, *singe.*

La sonnerie du petit téléphone noir à côté du bureau de Mme Griggs interrompit le travail en salle un. Tout le monde voulait écouter la conversation de Mme Griggs avec le bureau de la directrice, il y aurait peut-être quelque chose d'important à entendre.

«Oui», dit Mme Griggs au téléphone. «Oui, en effet.» Le récepteur collé à l'oreille, elle se détourna du téléphone et regarda Ramona. Tout le monde dans la salle un regarda Ramona. Alors quoi ? pensa Ramona. Qu'est-ce que j'ai fait maintenant ? «Parfait», dit Mme Griggs au téléphone. «Je vous l'envoie.»

Elle raccrocha. La salle un, et surtout Ramona, attendit.

«Ramona, ta chaussure t'attend au bureau de la directrice», annonça la maîtresse. «Quand le propriétaire du chien l'a trouvée sur la pelouse, il l'a apportée à l'école et la secrétaire a deviné que c'était une pointure de CP. Tu peux t'absenter pour aller la chercher.»

Ouah! pensa Ramona terriblement soulagée, en clopinant joyeusement vers le bureau de la directrice. Cette journée s'avérait bien plus agréable que prévu. Ramona reçut sa chaussure (magnifiquement mise à mal par les coups de dents) des mains de Mme Miller, la secrétaire de l'école.

«Mon Dieu», s'écria Mme Miller, tandis que Ramona glissait son pied dans sa chaussure et nouait le lacet, encore humide d'avoir été mâché, en un nœud serré. «Heureusement que ton pied n'était pas dans ta chaussure quand le chien l'a attrapée. Il devait avoir de drôlement grandes dents.»

«Oh oui», assura Ramona. «Des grosses et grandes dents. Comme un loup. Il m'a poursuivie.»

Maintenant que Ramona était saine et sauve dans ses deux chaussures, elle brûlait d'impatience de conquérir un public. «Il m'a poursuivie, mais j'ai ôté ma chaussure et je l'ai lancée sur lui, et ça l'a arrêté.»

«Ça alors!» Mme Miller était tout à fait impressionnée par l'histoire de Ramona. «Tu as ôté ta chaussure et tu la lui as lancée dessus! Quelle intrépide tu fais!»

«Eh oui», admit Ramona, ravie du compliment. Bien sûr, qu'elle était intrépide. Les cicatrices de sa chaussure le prouvaient. Pourvu que sa mère ne se dépêche pas trop de les cacher sous du cirage! Ramona sautilla tout le long du couloir, la pantoufle de papier à la main, impatiente de montrer ses cicatrices à la salle un. Ramona l'intrépide, voilà ce qu'ils penseraient. La plus intrépide de tous les CP. Et ils auraient raison. Cette fois, Ramona en était sûre.